国内最大級の士業グループを築いた士業経営者が語る

企業化する士業と、勝者のメンタリティ

ご挨拶

佐藤良雄（ＳＡＴＯグループ代表）

私の実家は、札幌で雑貨屋を営んでいました。

仕入れと配達は父が、店番は母と祖母が交代で行う典型的な家業でした。几帳面な父は、毎日、丁寧に帳簿を付けていましたし、夜遅くでも配達に応じるなど商売には熱心でしたが、商才はなく、家業以上に成長することはありませんでした。

その後、店から２００メートルほどのところに小さなスーパーマーケットが開店し、品数や量に勝るスーパーにお客様は流れていきました。お客様が困ったと言うときは、どんなときでも配達をいとわなかった父。それにもかかわらず、お客様はあっという間に去っていきました。商売に失敗した両親は、私が17歳の時に離婚。母と弟と暮らしていた私は進学校に通っていましたが、金銭的な理由から大学進学も難しくなりました。

しかし、何が幸いするかは分からないものです。両親がともに自分の将来の当てにならなくなったために、私は自分の未来を自身で考え、年端も行かぬ中で自立し、強い意思で努力する力を身に付けることができたのです。私は、昼間にアルバイトをしながら学費を稼ぎ、小樽商科大学の夜学に汽車で通い、19歳で行政書士という仕事を見つけ、大学卒業後に開業するという未来を創ることができました。

私は、本当に人に恵まれたと思います。

稚内信用金庫の故・井須孝誠理事長を始め、恩返しもできないうちに亡くなられた方々もいます。上場準備などに苦労していた時に助けてくれた横路孝弘元衆議院議長や顧問弁護士の太田勝久先生（弁護士法人ＰＬＡＺＡ総合法律事務所）、そして長年に渡りバックアップしてくれた戸苅利和元厚生労働事務次官や、監査法人の代表社員だった渡邊啓司先生や松尾清先生、守成クラブの伊藤小一会長、一への会の木村勇市前会長、サツドラの富山睦浩会長など、ここに皆様の名を書き尽くすことができません。数々の成功や挫折を、士業として傍（かたわら）でサポートしながら、様々なことを学ばせていただいた顧客企業の経営者の全てが私の師です。

弊グループには勤続40年以上の職員が2名おり、30年以上勤続する者も8名います。彼らは勤勉で、挑戦意欲にあふれ、時間や労力をいとわずよく働いてくれました。事務所の風土を確立していく上でも、成長拡大していくうえでも、彼らの力は不可欠でした。

社内レクリエーションの様子

職員と一緒にいる時間——仕事をしている時間は当然ですが、それ以外の時間を、私は大事にしています。スキーをはじめ、ゴルフ、パークゴルフ、サッカー、フットサル、野球、登山、ラフティング、ボーリングなど、社内レクリエーションを多く開催し、グループ職員を始め、取引先の皆さんと一緒に楽しんでいます。仕事では見ることのできない職員たちの笑顔を見ることがとても楽しく、嬉しくもあります。13歳から始めたサッカーは、選手として28歳まで社会人リーグでプレーし、経営者としては「コンサドーレ札幌」の創業者の一人として、また筆頭株主の市民持株会の理事長として、20年あまり関わりました。

創業時から、事業は「身内不採用」でした。私の長男は東京に住み、大学を卒業した後も勤めることなく、役者として好きな演劇を続け、テレビコマーシャルなどへの出演で生計を立てています。長女はクラシックバレエ教室の経営者として、札幌で忙しい毎日を送っています。私が子供たちに伝えてきたことは、「どんな仕事についても構わないが、私の事業だけは選択することのできない仕事である」ということでした。

私の親族がこの事業を承継することのないことは、すべての職員が知っていますし、この約束はこの事業が存続するかぎり守られるべき事柄です。さいわい創業者である私は、67歳となった今も元気でやる気も能力も十分だと思いますが、近年は後継者についても問われるようになってきました。

私は、新しいことに冒険心を持って、チャレンジすることのできる精神と行動力を持った者に、次代を継いでほしいと思います。

海外旅行とスポーツ観戦は古くからの趣味で、オリンピックはシドニーから、サッカーワールドカップは日韓大会から妻と一緒に現地での日本チームの応援に駆けつけています。中国は行ったことのない地域がほとんどないほどのファンで、杭州・上海・西寧がお気に入り。香港、ニューヨーク、シアトル、ラスベガス、リオデジャネイロ、ホーチミン、ダナン、プノンペン、バンコク、マドリッドなどが好きな街です。

海外出張には妻が同行することも少なくありません。妻は20代から創業者として各種イベントの

古参職員たちと（写真中央が佐藤氏）

請負、チャイルドケア、プロバスケットボールチーム、そして社会福祉法人の経営と、たくさんの事業を興してきました。日経誌の「ウーマン・オブ・ザ・イヤー２００２」をはじめ、複数の賞を受賞。現在は東京の大崎に住んで、世田谷で動物病院の経営をしながら、ペットの「漢方ごはん」とやらの工場を札幌に建て、中国市場に普及させる事業を始めています。互いに創業経営者であることから、経営ばかりでなく、経済や政治などの話をすることも多く、話題にはこと欠きません。

２年前、この書籍の元となる連載の打診を受けた時は、まさかこうやって一冊の書籍になるとは考えてもいませんでした。

ただ、連載に協力する中で、私がこれまで士業経営の中で培ってきた価値観や組織論などを、同じ士業の皆様にお伝えできる良い機会になるかもしれないと考えました。とはいえ、私が考えて行ってきたことが、必ずしも正しいものだとは思っていません。私がしてきた、たくさんの経験や失敗の中から、学んでいただけることがあるのではないかと思っています。

士業の資格は生活を担保するわけでもなく、自分の未来を安泰にしてくれるわけでもありません。資格があると言っても、所詮は自身の努力次第です。その努力に対する私なりの考え方や基準についてを、本書の中で申し上げています。この仕事に真剣に取り組むために、自分はどれほどの努力をしなければならないのか。この本がそうした基準を知り、目標を設定する機会になればと思っています。

本書を手に取られた皆様の、ご発展とご多幸をお祈り申し上げます。

二〇二〇年　六月

目次

3章 勝者のメンタリティ ……75

注
＊本文中の「FIVE STAR MAGAZINE」からの引用記事については、（　）内に脚注を記し、巻末に掲載号の発刊年月と掲載コーナーに加え、記事の原題を表記しています
＊事務所名等の表記は、すべて誌面掲載当時のものです

はじめに

ほとんどの日本人にとって、士業の仕事を目の当たりにすることは多くはない。

士業の仕事が何たるかを知っているという人間でも、士業とは「法律の専門家」か「手続きの代行屋」という認識にとどまることがほとんどだろう。業界内に身を置く人間においてもその認識に大きな差はない。

２０１８年に日本経済新聞朝刊一面で報じられた「エアビー、民泊運営支援　届け出や清掃など代行」という記事を目にしても、多くの読者は届け出を代行するのはクリーニング会社かなにかだと思っていただろう。

しかし民泊ビジネスを始めるために必要となる旅館業許可申請を代行できるのは行政書士である。そして、民泊仲介世界最大手の米Airbnb（エアビーアンドビー）の日本国内における申請手続きの代行を一手に引き受けたのは、ＳＡＴＯ行政書士法人（ＳＡＴＯグループ）だ。

日経の記事ではSATOグループについては名前も触れられていない。行政書士法人とだけ、それもほんの1行半のみの記載があるだけだ。それが大抵の人間が士業の仕事を目にする機会となっている。SATO行政書士法人が国内5指に入る大手行政書士事務所であることも、同じグループ内のSATO社会保険労務士法人が国内最大手の社労士事務所であることも伝えられることはないのである。しかし、民泊解禁のようなビジネスの最前線の裏側で、多くの士業が活躍していることは事実である。

弁護士、税理士、司法書士、行政書士、社労士を始めとした士業事務所の活躍が一般に知られていないことはともかく、士業の仕事を官公庁か役所の一つかなにかと思っている人間が業界内にもいることには本当に驚かされる。そして士業という「ビジネス」の領域が存在し、それが社会経済を動かす力になっていることも多くの人は分かっていない。それどころか業界内ではビジネスとして士業を営んではいけないという風潮すらある。しかし、士業事務所の中で広く名前を知られている事務所もあり、その理由が10数秒間のテレビCMで何度も目にするからというのは残念な限りだ。

そうした中で一握りの士業事務所は、専門化かつ集団化していくことで、社会への大きな影響力を有するようになってきている。具体的にそうやって組織の人員が1000名を超えて大型化し、社会に影響を与えるようになっている士業事務所は8つある。

日本経営グループ（税理士）
山田グループ（税理士）
辻・本郷グループ（税理士）
西村あさひ法律事務所（弁護士）
弁護士法人アディーレ法律事務所グループ（弁護士）
SATOグループ（社労士、行政書士）
森・濱田松本法律事務所（弁護士）
アンダーソン・毛利・友常法律事務所（弁護士）
（※カッコ内は主な士業の資格。弁護士、税理士、司法書士、行政書士、社労士の5士業を対象。
四大監査法人のグループ事務所はのぞく。2020年2月調査時点）

彼らの活動は、世間の目にふれることは少ないが、経済社会の中枢と密接にかかわっており、その影響力はあらゆるところへ及んでいる。相続、離婚、交通事故、借金などの個々人の生活から、政府、自治体、大企業、中小零細企業、金融機関、保険会社、不動産会社、病院、学校、はたまた芸能からスポーツ界にいたるまで。こうしたビッグファームについて多少の知識をもっている者は

順位	主たる資格	事務所名（グループ名）	所在地	代表者	従業員数
1	税理士	山田グループ／税理士法人山田＆パートナーズ	東京都千代田区	三宅茂久	1719
2	税理士	辻・本郷グループ／辻・本郷 税理士法人	東京都新宿区	本郷孔洋	1700
3	弁護士	西村あさひ法律事務所	東京都千代田区	保坂雅樹	1500
4	弁護士	アディーレグループ／弁護士法人アディーレ法律事務所	東京都豊島区	石丸幸人	1447
5	社労士	SATO-GROUP	北海道札幌市	佐藤良雄	1446
6	弁護士	森・濱田松本法律事務所	東京都千代田区	松井秀樹	1140
7	弁護士	アンダーソン・毛利・友常法律事務所	東京都千代田区	江崎滋恒	1032
8	税理士	デロイトトーマツ税理士法人	東京都千代田区	松宮信也	966

FIVE STAR MAGAZINE「士業事務所　事務所規模 RANKING2020」より。
この年、日本経営グループの従業員数について公表された情報がなかったため、非掲載

おろか、そこで働いている人間ですらその存在の大きさを十分に認識してはいない。しかし、いま述べたように、ビッグファームをはじめ、多くの士業事務所があらゆるところに入り込んでいるのである。

ビッグファームの一角であるSATOグループは行政書士事務所として札幌に始まり、社労士事務所の設立を経て成長してきた。だが、現在のグループの事業内容は、一般の行政書士事務所や社労士事務所とは大きく異なっており、きわめて多岐にわたるサービスを提供している。

SATOグループの仕事は一般的な士業の業務範囲である許認可の申請や社会保険・労働保険の手続き代行にとどまらない。人材紹介や給与計算代行もやれば、大企業の人事労務部門のアウトソーシングや中小企業の労務トラブルの相談対応から、国政選挙の出口調査、ハローワークの業務代行なども手がけている。さらに、政府官公庁の労務管理の代行や企業のアジア・中国への進出支援まで、まさに何でも屋である。

ＳＡＴＯグループのように卓越した成長を続ける事務所には、「士業の企業化」と「勝者のメンタリティ」というキーワードがあるように思う。しかし、２つのキーワードを重ねて、そこに成長の法則を見ようとすると、士業にまつわるさまざまなファクターが邪魔をして、輪郭を見えにくくする。企業化することを否定したり、勝者のメンタリティを放棄することによって、事務所の成長を自ら止めてしまう士業は多い。企業化していくこと、勝ち続けていくことに限界を感じてしまうのだ。

社労士や行政書士を中心に総勢１４００名超のグループを築いているＳＡＴＯグループ代表の佐藤良雄氏の活動領域はそうしたものとは異なっている。「士業ビジネス」という領域の中には、佐藤氏のように従来の士業のイメージをくつがえし活動する「巨人」たちがいる。彼らの活躍を知れば知るほど、士業ビジネスに限界などないことが分かる。

ＳＡＴＯグループは、今や多くの一流企業の労務管理のアウトソース先となっている。日本マクドナルド、スターバックスコーヒージャパン、ロイヤルホスト、カルビー、アインファーマシーズ、東急ハンズ、スシロー、ＪＡＬなど名を挙げていけばキリがない。これらは、いずれもＳＡＴＯグループの顧客である。

ＳＡＴＯグループのイメージは、彼らが抱える顧客のイメージによるところが大きい。そして、その巨大なイメージによって影のかかる組織の内部は、外からちょっと観察したくらいでは、その全容を伺い知ることはできない。

顧客を惹きつける力と戦略、そして大量業務の処理能力、これらがＳＡＴＯグループにおいて貴重な経営資源となっているのは事実だが、それ以上に代表の佐藤氏の膨大な活動量が、組織の成長の原動力になっていることはあまり知られていない。

こうした資質を備えた経営者は、士業においてはほんの一握りしかいない。大多数の士業は、顧客の前に立つより、机に向かって書類を作成する時間の方が好きなのだ。

成功する士業事務所の経営者たちの活動実態はどうなっているのか。経営者は実際には何をしているのか。彼らはどんな権限を持っているのだろうか。

本書は、「FIVE STAR MAGAZINE」誌で２０１８年7月号から２０２０年1月号まで連載した計9回の原稿（『a Corporate Giant　～企業化する士業と、勝者のメンタリティ～』）を元に、同誌で掲載された過去のさまざまな士業経営者へのインタビューからの抜粋などを加え、再編集を行っている。

連載が始まったきっかけには、一冊の書籍の存在がある。『ビッグ・エイト―知られざる会計帝国』（日本経済新聞社出版局、１９８３年刊）。筆者が２０１２年に初めてＳＡＴＯグループ佐藤氏を取材した時に、同氏が「若き日に手本とした」と話していた書籍だ。すでに絶版となっていた書籍を古本屋に探し求め、読んでみると、確かに時代の移り変わりを感じさせながらも、士業の組織やビジネスについてのあれこれが書かれてあり、筆者も士業事務所の経営というものを知る手掛かりとした。

こうした書籍は今はなく、だからこそ現代の士業界に『ビッグ・エイト』をよみがえらせたい、ついてはその協力をしてほしいというのが、私から佐藤氏への連載の提案だった。そして佐藤氏に協力を仰ぎ、同氏との対話をナビゲーションとしながら、FIVE STAR MAGAZINE 誌で掲載したインタビューの中から多くの事務所の考え、取り組みなどを抽出し、さまざまな角度から、士業として「勝ち切る」ための条件や法則を炙り出していった。

書籍化にあたっては、連載時の誌面を中心に構成しながらも、時宜に合わせた編集を行っている。

本書に掲載した「士業を行う経営者」たちの姿に示唆を得て、読者の皆様のビジネスがさらに拡大していくことを願う。

榊原　陸（士業専門誌「FIVE STAR MAGAZINE」編集長）

1章　士業ビジネスの課題

規制緩和――新世紀の幕開け

多くの士業は、独立開業してまずはそれぞれの領域の知識を高め、技術を磨く。そして専門職として顧客企業や地域コミュニティの信頼を得て、一定の食い扶持を稼げるようになると、今度は青年会議所や商工会議所、あるいはロータリークラブやライオンズクラブなどに出入りし、新たな人脈を形成していく。そして今度は、その新しい組織の中での信頼やポジションを得ることに達成感や自己実現を見出していく。こうしたケースは士業に非常に多いように思える。

本書のナビゲーターである佐藤氏は、士業の本質について次のように語っている。

「サムライ業で開業する人は皆、最初は一人で創業します。そして、経営やマーケティングより先に、自身の在り方や自己実現についてのあれこれを考えます。

著者のインタビューに答える佐藤氏

士業ではありませんが、私の友人は30歳で親の跡を継ぎ、歯科医院を開院しました。周囲からは親の跡を継いで若いのに立派だと褒められましたが、そうしたことは始めのうちだけ。数年もすれば院内で淡々と仕事をし続け、自身の成長や達成感を感じられなくなります。それで、同業の組合団体やライオンズクラブなどの中で活動を始め、その活動の中に、自身の自己実現を求めていくようになりました」

現在のような、「ビジネスを行う士業」が生まれたのは、それほど古いことではない。弁護士・税理士は2002年に、司法書士・社会保険労務士は03年に、行政書士は04年にそれぞれ法人化が可能になった。この制度改革は、さまざまな変化を業界にもたらしてきた。同時に、広告規制や報酬規制が緩和されたことで、士業にはビジネスの規模を拡大していくという選択肢が生まれた。士業の規模拡大は、それまでのカルテルの時代にも見られたが、こうした一連の規制緩和をきっかけに加速していった。

その象徴は、2000年代以降に登場したニュータイプの士業事務所たちだった。

2003年に開業したベンチャーサポート税理士法人の中村真一郎氏は、年間500件の新規顧問先を獲得した翌年の2012年に取材に応えて、以下のように話している。

『設立』だけを獲得するなら、もっと取れるかもしれません。『どうやって伸ばしたか?』と聞かれたらWebですけど、『どうして獲得できるんですか?、何が他所と違うんですか?』と聞かれたら、僕らは営業会社だということなんです。営業力がずば抜けて強いんです」

「HPは簡単に真似することができますし、それなりの規模があれば、広告だって同じように打てます。それでも、うちと同じだけ取れないのは、後ろの部分だと思う。僕らの強みは前にあるHPだけではなくて、後ろの営業力にあります。だから両輪ですね」

「営業会社のようになったのは成り行きでしたけどね。結局、会計事務所ビジネスは、今も昔も変わっていなくて、税理士は経営者のよき相談相手で、求められているものも、経営アドバイスもありますが、実際は話し相手だったりするんです。その本質をうちは変えていないから、多くのお客様に支持されているのだと思います」（注1）

ベンチャーサポート税理士法人では、以降も新規顧問先件数を増やし続けている。

また、2005年に現・弁護士法人法律事務所オーセンスを開業し、日本最大級の弁護士/法律ポータルサイト『弁護士ドットコム』を起ち上げ、同社を上場（東証マザーズ）させている元榮太一郎氏は、同じく2012年の取材で、

「私は（グループの事業を）『リーガルベンチャー』だと思っています。ひとつは、『日本を代表する法律事務所を作りたい』という思いがありますし、もうひとつは『インターネット企業として、日本一、日本初のものをつくりたい』という思いがあります」

と話している。（注2）

こうした士業が活躍しだしたのは、インターネットビジネスの黎明期と重なっている。彼らの多くは士業というよりインターネットを活用したマーケッターであり、マーケティングという魔法の使い手として、新世界から旧世界へインターネットの回線を通じて移住してきたのである。こうして新しい士業ビジネスの時代が始まった。

ビッグファームの一角であるSATOグループの生成の過程は、こうしたニュータイプの事務所たちの移住の物語とは異なっている。

現在の札幌本社社屋

ＳＡＴＯグループは１９７７年に行政書士佐藤良雄事務所として札幌市で開業したのがその始めであり、一方のＳＡＴＯ社会保険労務士法人の祖である労働保険事務組合は１９７９年に設立されている。そして、社労士法が改正された２００３年のその年その日に、ＳＡＴＯ社会保険労務士法人を設立し、東京へ進出する。規制緩和が実現したのと同時のことだった。

ＳＡＴＯ社会保険労務士法人は、東京でそれまで存在しなかった大企業向けの社労士業務を開始し、次々に一部上場企業をはじめとした名だたる大企業の仕事を受任していく。２００５年には、大阪に事務所が開設され、続いて名古屋、福岡にも支店が開設された。現在は、国内外に多数の営業拠点を持ち、その活動は今も広がっている。

２００３年の東京進出までの期間も手をこまねい

東京事務所の所内の様子

ていたわけではない。1987年にはグループに人材紹介・派遣事業を行うキャリアバンク株式会社を設立。1997年には、同じく給与計算アウトソーシングを行う株式会社エコミックを設立。それぞれ2001年、2006年に札幌証券取引所アンビシャスへの上場を果たしている。

行政書士資格を保有する佐藤氏は、士業を母体に2つの企業を上場させ、社労士事務所、行政書士事務所もそれぞれ業界トップクラスの事務所へと成長させているのである。

士業ビジネスとは、士業の業態化の問題

弁護士、税理士、司法書士、社会保険労務士、行政書士の5つの士業を合わせた市場規模を経済センサスから推計すると、2兆円を超える（図表参照）。

5士業はそれぞれ「業種」として説明され分類される。業種とは、酒屋、薬屋、本屋、洋服屋、文房具屋など、「売られているもの」を分類したものである。

一方、業種に近しい言葉として「業態」がある。業種と業態について語られた書籍から説明を引くと、以下のような一文がある。『一般には業種と業態は小売業を分類するための軸であると思われる。「何を売るか」で分類したのが業種であり、「いかに売るか」で分類したのが業態だ……』（『小売業態の誕生と革新』）

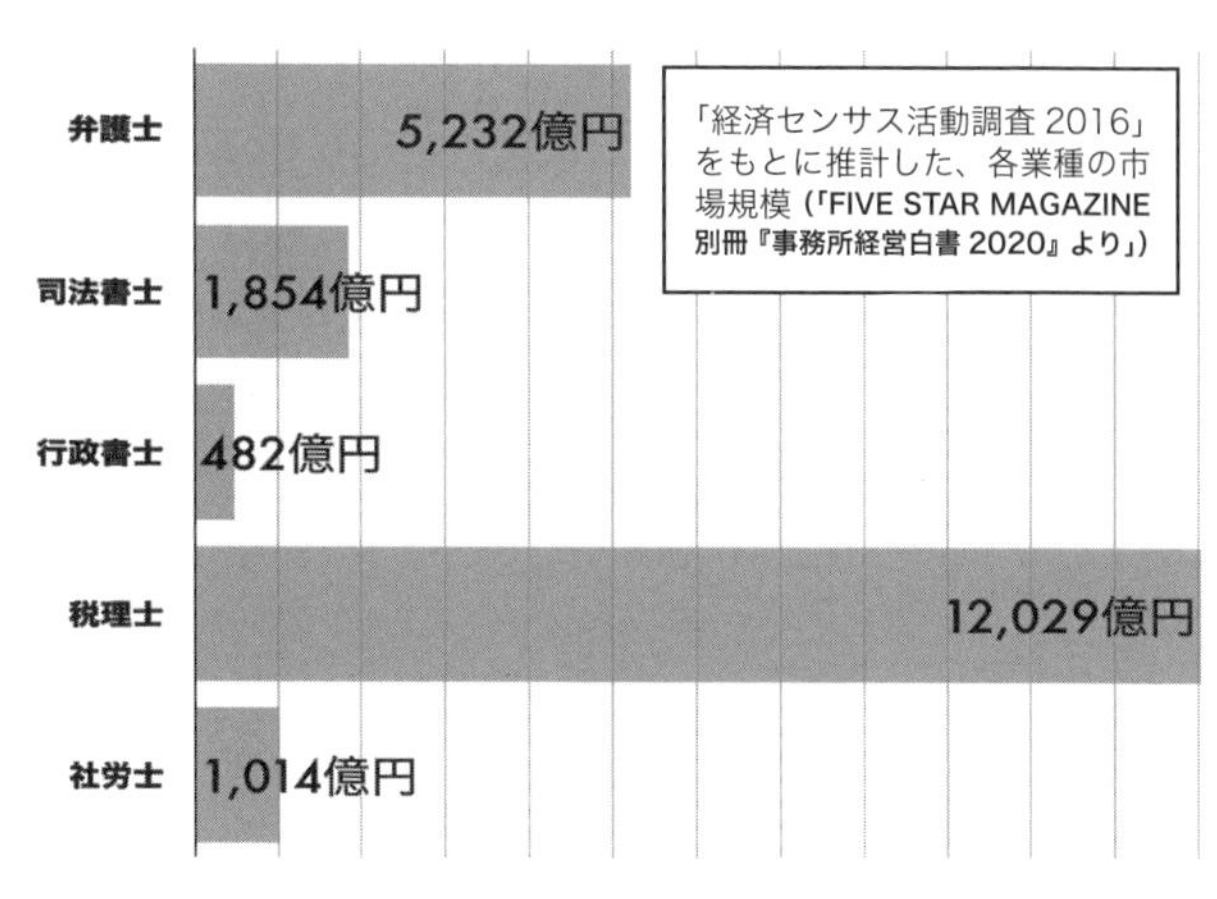

総務省統計局「経済センサス」のデータを再構成

書籍では、百貨店、スーパー、ディスカウントストア、GMS、コンビニエンスストアなど、「売り方」で分類したものが業態であると説明されている。同書ではこのことを「誰もが知っているお店が業態であり、三河屋酒店や山本菓子店はご近所の人しか知らないから業種となる」と指摘している。

この体（てい）で言えば、個人事務所である鈴木会計事務所や山田法律事務所は業種ということになる。さらに同書には「小売店というのは家業であり、日々の糧を得るためにだけ存在していたのである。これは今で言う業種型の小売業である」という一文もある。

士業と小売業との共通事項は、いずれの業界においても同業者と同じ商品を扱わなければならないという実態にある。小売店においても独自の仕入ルートがないかぎり、店頭に品揃えする商品と同じものが競合店舗にも並ぶ。その中で、小売業がどのように他店と差別化し成長してきたのかは、興味深い。

つまり、それが売り方を変えることであり、業態を変えるということの意味である。

士業において業態にあたるものが何かと言えば、専門特化（ブティック）型事務所やワンストップ事務所がそれにあたるかもしれない。とはいえ、ワンストップと言っても、ある士業の傍らで別の士業の商品を合わせ売っているにすぎないなら、小売業に例えるなら、本屋の片隅で文房具を売っているようなものだろう。それをはたして業態と言えるのだろうか？　イオンやセブンイレブンは、業態である。つまり、未だ士業には、業態が生まれていないと言っていい——。

小売業では市場環境に応じて業態は様々に変化し、盛衰を重ねてきた。そもそも小売業においては、大量消費社会の誕生という社会背景がなければ業態は生まれなかった。一方の士業界においても、取り巻く環境の変化がなかったわけではない。それどころか、報酬規定の撤廃、情報の非対称性の崩壊、士業のコモディティ化など、士業に求められているものは、大きく変化し続けている。

こうしたうねりの中で、「うちのお店で売っているお酒はうまい」と言っていた酒屋がコンビニエンスストアに客を取られてしまったように、「うちのサービスの品質はよい」と胸を張っている だけの事務所は、早晩に同じ道をたどっていくかもしれない（もちろん、品質は関係ないという意味ではない）。

（参考図書、注3）

中田信哉『小売業態の誕生と革新―その進化を考える―』白桃書房
田村正紀『業態の盛衰―現代流通の激流―』千倉書房

二重の踏み絵

そもそも、「当たり前」のビジネス感覚が今までなかったのが、士業の業界である。これまで多くの事務所は、主に地域と密につながった人脈や、長年かけて築かれた信頼関係によって業務を獲得してきた。

こうした状況が、すでに変わりきっていることを示すために、かつての過払いバブルをめぐる動きを例に引こう。

多くの経済誌等で「過払い」は一つの経済事象として、弁護士・司法書士業界の「うたかたの夢」、つまり「バブル」として捉えられ、そう結論づけられてきた。それは紛れもない事実だろう。しかし、我々の取材を通して、多くの事務所を訪問する中で得たのは、それとは異なった感触である。そこには「祭りのあと」の喪失感ではなく、むしろ充実した事務所の姿があった。

過払いを一夜の宴ととらえた事務所の中には、バブルに危機感を抱き、この業務に参入しなかったところも多かった。債務整理・過払い請求で拡大していく事務所に対する、同業者の多くの視線は冷めていた。

「皆、『あんなものは一発屋だ』と思っていましたよ。過払いバブルが終われば、あっという間に衰退するだろう、と」（事務所経営者）

しかしその分析は、大部分は当たっていたにせよ、一部の事務所においては大きく外れることになる。

バブルが終焉を迎えると、新しい感覚を持った事務所が、全国各地に頭角を現した。特筆すべきは、圧倒的なマーケティング力・経営力を身に付け、これまでの士業事務所では考えられなかったような、ずば抜けた資本力と組織体制を築いた事務所が、いくつか出現しはじめたことだった。

そもそも、一口に「組織を拡大する」と言っても、そこにはありとあらゆる経営課題が存在する。資金繰り、人材の獲得と教育、業務の仕組み作り、社内体制の構築、経営戦略、マーケットの見極め、マーケティングと広報戦略――。山積みのハードルを一つ一つクリアすることでしか得られない、強固な組織と経営力。「勝者」となった事務所は、バブルを追い風に、いつしか途方もない「武器」を身に付けていた。

「弁護士の仕事、特に債務整理のような定型業務は、そもそも誰がやってもそこまで大きな差がつくものではないんです。それを、人材を獲得し、社内体制を整えることで大量かつ効率的にこなし、しかも業務水準を上げてきている。弁護士としての仕事の内容に上も下もない、ときっぱり割り切った事務所の姿勢も大きかったと思います」（業界関係者）

このように、「過払い」をテコにして、現在も拡大を続けている事務所がある一方、マーケットの縮小と共に、その活動を縮小させた事務所も多い。その違いを、とある事務所の代表弁護士はこう指摘した。

「過払い事件を意図的に回避した弁護士を除いては、少なくない数の弁護士がそのバブルの恩恵を受けていた事実があります。その期間は、難しいことを考えなくても仕事が来るという、ある意味『経営を直視しなくても済むモラトリアム期間』でもあったんです。如何せん、それが長すぎた。ここで経営力を磨き、トップレベルでマーケティング競争をしてきた事務所と、何も施策を打たず、来るだけの仕事をしていた事務所。そこで大きく明暗が分かれたのではないでしょうか」

結果として過払いバブルは、強固な経営力を持ち、強大なマーケティング・パワーを持つ事務所を誕生せしめた。組織としての飛躍を叶えるために、「過払いバブル」は十分すぎる踏み台になり得たのだ。

もう一つ、強大なマーケティング・パワーを持った事務所が得た武器がある。

「やはり、事業再投資ができるということは大きいですよね。あれだけの巨大な資本力が得られれば、優秀な人材を獲得したり、社内の処理体制を整えたり、マーケティングや広告宣伝に力を入

れることも可能になりますから」（業界関係者）

これまで士業界では、資本力が事務所経営に及ぼす影響は極めて限定的だった。しかし、過払いバブルを踏み台に桁違いの資本力を勝ち取った一部の事務所は、それを元手にビジネスに投資し、経営のレベルアップを図っていったのだ。その結果、過払い業務の主戦場であったＢｔｏＣ市場に対するマーケティング・パワーを向上させ、「次なる一手」につながる足がかりを築いていったのである。

その一方、士業事務所として事業再投資をすることなく、表舞台から敢えて撤退していった事務所もある。

「なかには、士業ビジネス自体を辞めて、獲得した資本を元に別のビジネスを始めた人もいますよ」（業界関係者）

事務所の規模を急拡大させた事務所たち。それらの事務所の中でも、手綱を緩めることなく、さらに次の事業に備えて経営基盤を固めながら、現在も拡大を続けている事務所がある。彼らにとって過払いは、「一夜の宴」などではなかった。過払いで得た資本を、宴の中で消費してしまったか、次のビジネスへの経営資源ととらえたか――。もうひとつの分岐路がここにあった。

圧倒的な経営力と、資本力。

過払いバブルの終焉後、一躍士業界のトップ戦線に躍り出たいくつかの事務所は、その流れに自ら身を投じ、この2つの「果実」を見事に手中に収めた。そこに至るまでの道筋に存在した2つの分岐点は、弁護士・司法書士にとって、いわば「二重の踏み絵」とでも言うべきものだったのではないだろうか。

もちろん、バブルがもたらした負の遺産も多いことはわかっている。しかし、「士業ビジネスの遷移」という一点から俯瞰すれば、これらの動きが事務所経営にもたらしたものは、経営の「大型化」だと総括できよう。マーケティング競争は大規模化し、そこに大きな資本力が必要となった。それに伴い、経営のスケールも以前と比べるまでもないほど、大きくなっている。

こうした動きは、未だかつて士業界が経験してきたことのない前人未到の領域で起きていることであり、その是非についても明確なものはない。

そうした意味で、今、士業界は新しい世紀に突入したと言ってもいい。これは業界の進歩なのか、経営の進化なのか、それとも士業の衰退なのか——。士業ビジネスの未来も含め、すべては未知のなかにある。ただし、こうした現実が今、士業界の最前線で現実に起こっていることは間違いない。

途絶える目標

現在の集客の主流がＷｅｂサイトによるものに移行しているとは言え、経営者の活動量がその組織の成長スピードと比例しているという構造は、それほど変わるものではない。

士業の顧客獲得は、会合などで挨拶し、握手をし、その背中をたたいて、こみ入った話をまとめていくことから始まる。顧客獲得は非常に時間のかかる仕事である。ＷｅｂサイトやＤＭで顧客を獲得するといっても、それ以前にハードなスケジュールをこなしているのがほとんどである。

特に士業の場合は、顧客は誰に頼むかを重視する。だから、士業では、所長が顧客に会えば、会った人数だけ顧客の増えるペースは上がるし、そうした機会を増やすことがなければ、その分だけの顧客創出機会をロスしたことになる。特に開業時は、そうしたシンプルな構造で営業は成り立っている。

開業から数年は、そうやって年商が数百万円から数千万円と増えていくだろう。そして、贅沢三味と言うわけにはいかないが、個人でやっていく分には、お金に不自由を感じなくなってくる。そうすると次第に、職業への誇りは持ちつつも顧客の支援に燃えることなく、事業拡大への意欲も失い始める。

士業は資格を取る、開業するという明確な目標があったがために、食べられるようになり同世代の経営者と比べて報酬もステータスも得てしまうとたんに満足してしまい、目標を見失ってしまうのだ。

本人が意識しているかどうかは分からないが、そうした罠に陥ってしまうケースは、ことのほか多いように思える。独立したい一心で勉強し、顧客も人脈もないところから受験時の集中力をそのままに顧客を開拓していく。士業で身を立てていくことを誓っていたからだ。ところが、その目的を果たしてしまうと、次の目的地が見えなくなってしまう。なぜ、身を粉にして働かなければならないのか自分でもわからなくなる。

そして、あらゆる口実を作るようになる。すでに十分な顧客はいる、積極的に営業をしなくても顧客が新たな顧客を連れてくる、顧客はうちのサービスに満足している、営業ばかりしている事務所はサービス品質が落ちる、うちには専門性がある、士業はマーケティングなどするべきではない、そして、これから妻や子供との平和な家族生活を取り戻していくのだ、と。

そうやって、現在のその地を安住の場所だと錯覚してしまう。

熾烈な競争

士業事務所にとっての理想像は、より多くの優良企業、優良顧客でビジネスの基盤を作り上げることである。その意味で、顧問契約は乳と蜜にあふれており、それは精力をあげて取り組むのにふさわしい領域である。業界最大級の会計事務所である辻・本郷グループともなると、その著書（『本郷孔洋の経営ノート2018　経営者に不可欠な、2つの眼』）にも表記されているように、顧問先は「1万社」を数える。それは、顧問料の平均を年間50万円としても、ゆうに年間50億円以上の売上が約束されるのである。その多くは、年ごとに顧問事務所を変えることもなく、周辺サービスにも相当の報酬を支払う。最高の顧客は、ちょうど年金と同じようなもので定期的に支払ってくれる。

顧問業務を通じて、士業は今日のビジネス基盤を確立したとも言える。特に税務では、国内のほとんどすべての企業が会計事務所を顧問に付け、税務申告を行う。こうした税理士の任務は、行政の出先機関のように適切な納税を行うことにある。

税務申告において企業が決めることができるのは、誰を顧問にするのかということだけである（自社で税務申告を行う企業はごく少数だ）。一方で、どの事務所が企業に選ばれるかは、簡単に決まることではない。

そのための熾烈な競争が事務所間で繰り広げられているのが、今日の士業ビジネスの一つの姿だ。彼らは、コンテストの最終審査に挑む候補者のごとく、選考者の歓心を買おうと懸命である。しかし多くの場合、明確な選考基準を選考者が持ち合わせていることはない。どの事務所のサービスが良いのか悪いのか、料金が安いのか高いのか、専門性が高いのかそうではないのか――。選考基準は、あるいは出会った時のフィーリングに委ねられるのだろうか。

士業のサービスそのものを評価付ける指標はない。市場より高価格の報酬が必要な事務所が、他の事務所より良いサービスを行っているという保証はどこにもない。では士業とは何か、士業のサービスとは何か？――。

「この仕事で最も重要なことは、何の用事もないときでも顧問先に電話ができるかどうかということだと私は思います。士業が手続き屋ではないという意味の本質がそこにあります。

例えば建設業の許可更新手続きなら、期限を知らせて、受注すればいい。こうしたことはスタッフがルーティンで行えばいいものです。そうではなく、気になることや伝えたいことなど、急ぐ用事はなくても、一本の連絡を入れられるような間柄を、顧客との関係で築かなくてはなりません。電話をしても『何の用ですか？』と言われるかもしれません。でもそれでいいのです。こうしたことによって顧客は潜在的に、私たちを『自分のことを考えてくれている存在』だと認識していきます。そうした存在になれるのは、私たち士業以外にはいません。だってきっと家族でさえも、そうしたことを気にかけることはないのですから（苦笑）」

こうした話をする際に、佐藤氏はいつもヤマト運輸や佐川急便の仕事の話を引き合いに出す。荷物の集荷を頼んだら、指定日に荷物が着荷するのは当たり前で、そこにそれ以上の価値も評価もない。そうした態度がごく一般的だろう。それと、士業の仕事へのお客様の評価は同じだと、佐藤氏は言う。

ところが、士業はそこで勘違いをしてしまう。皆が「先生、ありがとうございます」と言ってくれるものだから、自分が何か特別なビジネスをしたものだと思い込んでしまうのだ。しかし、それらの言葉は、ただの挨拶にすぎない。

「お客様は本来、『専門家なのだからできて当たり前だ』と思っているのものです。ですから、仕事をどれだけ正確に行い、最適な結果を残しても、評価をしていただけるわけではありません。ですからそれ以外に、顧客に対するアウトプットを生み出す時間を確実に作っていかなければならないのです」

以下は本書の元となる『ビッグ・エイト　知られざる会計帝国』から拝借したものだ。顧問事務所を品定めする、ある企業の例を次のように表現している。

「その会社の社長は、会計事務所数社を回って、そのつど、〝二足す二はいくつ〟か聞いてみたらしい。戻ってくる答は必ず四だったそうだ。ところが、最後に訪れた事務所だけは違っていた。『二足す二はいくらになるかね』との質問に対し、返ってきた答は、それまでよりずっと彼の期待に沿うものだった。『いくらにしたらよいでしょうかね』……」

（※原書では、会計操作を行うことを示唆した皮肉なのだが……）

リーダーシップを握る経営者

士業事務所の多くが共同経営の形態をとっている。ただし、それは文字通りの共同経営者がいるわけではなく、各業法で定められたルール、あるいは経費を折半する目的で共同経営の形を取っているためであり、現実の事務所の運営は一人の代表社員（多くの場合は、オーナー創業者）に多くの権限が集中されている。

代表社員と聞いて、株式会社で言うところの代表取締役と同じ役割、機能を思い浮かべてしまうと、士業法人の組織の理解に手間取るかもしれない。税理士法人や行政書士法人には「代表社員」の肩書きを持つ社員が複数人いることがある。ところが代表社員といっても、誰もが事務所のオーナー創業者と同じ経営判断や責任を負い、同じような言葉づかいをしているわけではない。そのような権限を持つトップが二人もいて、同じ事務所で共同事業をしていたら、従業員は息がつまってしまうだろう。

今日、大型化している士業事務所の多くは、士業法人の形態を取っており、規模こそ巨大化しているが、現実にはあくまでも一人の経営者のリーダーシップによって運営されている。すなわち、事務所の経営の舵は一人の経営者（多くは創業者）が握っており、その方針、決断において事務所の進むべき道が決まるのだ。法人化することで、組織や経営形態が近代化しているとは言え、その点では個人事務所の頃となんら変わりはない。経営者への集中という意味では、資格が必要な分、一般の事業会社より色濃いだろう。だから、事務所を大きく成長させるためには、経営者が正しい判断を行い、正しく行動し、その仕事量を増やしていくことが最良の方法である。

組織においては、自身の持つ強力な権限をコントロールできる経営者こそが、最大のリターンを得ることができるのだ。

佐藤氏はこのことについて、次のように話している。

「目標を達成するためには、目標を達成するために必要な機能を、自分にも組織にも持たせなければならないと思います。士業に関わらず、全権を持っている経営者はその権限をコントロールするために、自らを律する仕組みを設ける必要があるのです。経営に対して全責任を負っているとはいえ、経営者は万能ではありません。

ですから、経営者が何をしているのか、社員から見えない組織を作ってはならないのです。経営者の行動は、会社にもっとも大きな影響を与えます。そしてそれはリスクにもなりえます。だからこそ、経営者の行動がきちんとコントロールされている組織を作るべきなのです」

経営者や役員は大きな責任を負っているのだから、自由に行動する権利がある。そうした考えは間違いだと佐藤氏は話す。

経営者が今何をしているのか、得意先で商談をしているのか、取引先と会食をしているのか、従業員に知らせていないという企業は多い。「先生は、何時に戻られますか?」と尋ねたときに、「戻るか、戻らないかもわからない」などと従業員が答えている事務所は考えものだ。会社のお金を自由に使えるのは経営者だけ。だから会社をダメにするのはいつも経営者にほかならない。

2章　企業化する士業

戦略の企業化

士業事務所で実際に経営の意思決定を行っているのは、一般の中小企業と同様に、代表社員（多くはオーナー創業者だが、二代目、三代目のこともある）や経営合議体である。彼らの多くは、経営の意思決定を行うだけではなく、スタッフを配置しながら、自らも実務を精力的に行っている。

もっとも、実務を行うリソースと経営判断を行う機能を明確に切り離している事務所もある。マネジメントスタッフと実務スタッフを分離することで、業務の分担と責任の所在を明確にしているのである。その両輪が噛み合い、うまく回った時には、大きな力を発揮できる。そのようなことは、かつての士業事務所ではめったになかったことだが、最近では多く見かけるようになってきた。創業者であるオーナー経営者から代替わりすることで、士業の資格を持たない者がグループ企業の代表者となり、無資格者が実質的に事務所の経営方針をリードしていくような形態のグループが出てきていることも近年の特徴だ。

無資格者ながら長年、士業グループの組織を率いてきた小長谷康氏（現セブンセンスグループ代表取締役会長）は、

「私たちは士業を生業としていますので士業をないがしろにしてはなりませんが、士業にとらわれすぎてしまうと将来的な展望を描けなくなってしまう恐れがあり、それは非常に問題です。ですから、（士業の実務と）経営の分離は必要なことだと思っています」

と、2020年の取材で語っている。（注4）

事務所経営は、かつてのようにただひたすら真面目に実務を遂行するだけ、というわけにはいかなくなってきている。彼らは、従来よくあったワンマンやトップダウンスタイルの経営と異なるスタイルへの挑戦をし始めており、いくつかの事務所ではリーダーやトップの決断に、運営ルールが勝利するような仕組みを有している場合がある。

東海地方の総合士業グループ、名南コンサルティングネットワークもその一つだ。同グループの経営会議は、参加役員14名による合議制で行われている。現代表の安藤教嗣氏は2020年の取材で、

「すぐに方向性が決まる、決まらないというのはそれほど重要なことではありません。それ以上に大事なことは、同じ目線でお客様にサービスを提供できるように、語り合い、議論し合うことです。そうやってそれぞれの価値観を擦り合わせていくこと、そうしたコミュニケーションにこそ価

値があると思っています」

「組織としての形で個人的な理想を言うなら、現在のところ「ティール組織」（上司と部下の関係が存在せず、組織としての売上目標や予算も存在しない組織）を目指しています」

と、これを説明した。（注5）

「士業の企業化」を考えるとき、経営合議体での意思決定や無資格者によるリーダーシップというテーマは興味が尽きないが、それらはほかに譲ることにして、ここでは士業事務所の「戦略の企業化」について考えることにしよう。

例えば、士業において「成長を加速させるためには近代的なマーケティング技術を採用しなければならない」と考えたのはひとり、佐藤氏だけではなかった。当然、積極路線を歩む他の事務所も同様であっただろう。そこで異なっていたのは、戦略の有無だ。

SATOグループが大企業向けのマーケティングを開始したとき行ったのは、マーケットセグメンテーション（市場細分化）戦略だ。今日のSATOグループの戦略においても、このマーケットセグメンテーションは非常に大きな意味を持っている。

2003年4月、社会保険労務士法が改正され、支店展開が解禁された同日に、SATOグルー

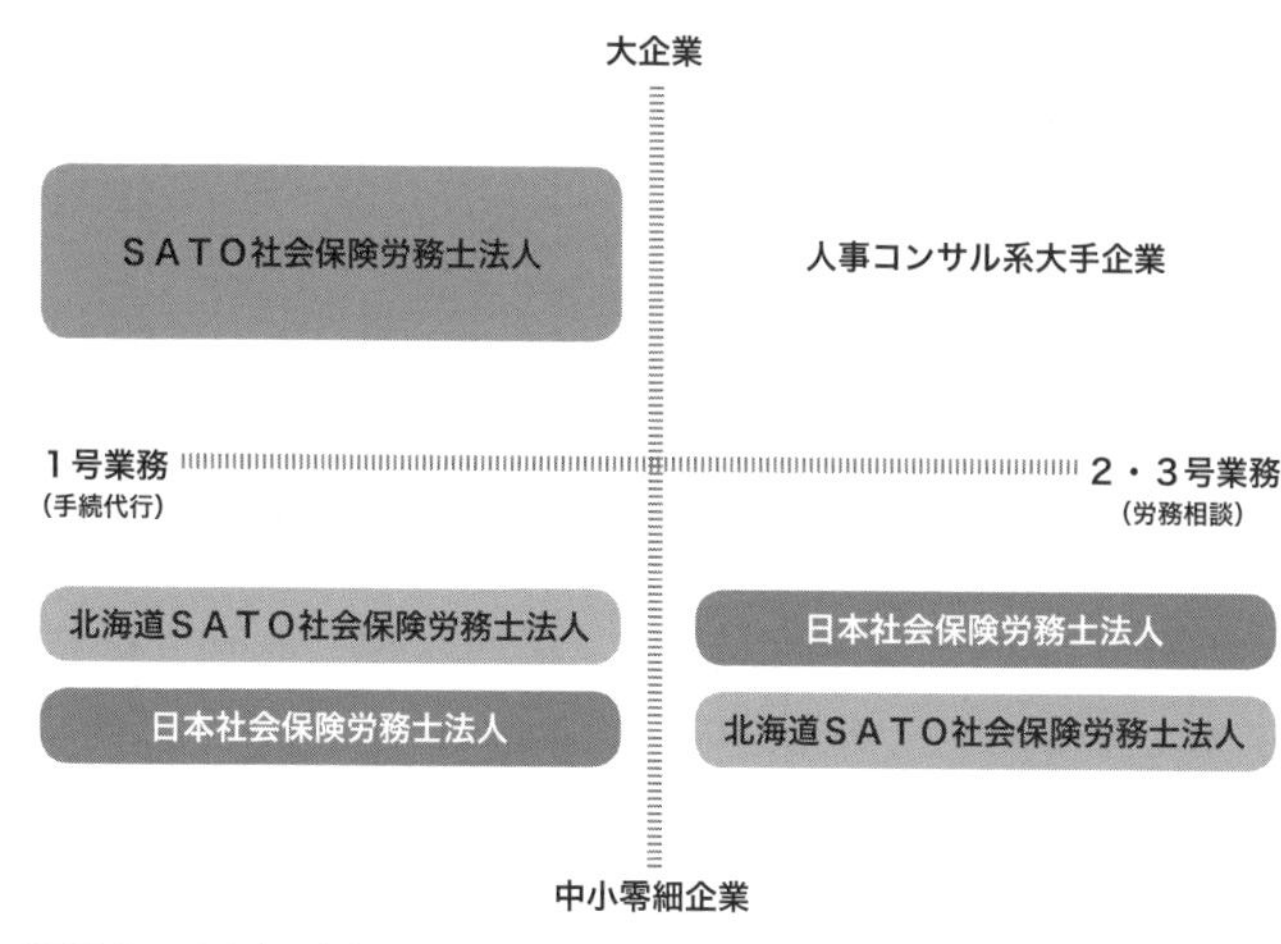

2020年5月時点の事業セグメント図。それぞれの法人で「やらない領域」を決めていることが特徴

プは東京に進出した。その東京事務所では、大胆な市場細分化を行うことになる。それは一切のコンサルティング業務と中小企業向けの手続き業務を行わず、「大企業向けの手続き業務」だけを狙うという戦略だった。現在においても、社労士のニーズは中小企業のほかにはなく、手続き業務に加えて、コンサルティング業務にマーケットがあると考えるのが一般的である。そうした中、ＳＡＴＯグループは自らが打ち立てた戦略を忠実に断行し、巨大化していった。

一方、他の事務所の多くは、それぞれの主幹業務以外の分野に（片足を主力業務へ残しながら）進出する政策をとった。代表例は会計事務所における「ＭＡＳ監査」（Management Advisory Services）と呼ばれる経営コンサルティング業務である。そのほかにもさまざまな業務を付帯しながら、結果プロフェッショナル集団にスーパーマーケットがひっついたようなサービスを提供する業態になっていった。特に多くの会計事務所は、「何でも屋」のような業態となり、地方の事務所のホームページをのぞいてみれば分かるように、試行錯誤の結果として、それが会計事務所なのかどうか、(似たような企業名やグループ名がいくつもあるために！)屋号さえも判然としない事務所が山ほど生まれる結果となっている。これは、法律事務所において、事務所名に「総合」が多く用いられる理由と同じかもしれない。

要するに、自分たちの資格業務にいくらかでも関連があれば、顧客の依頼は何でも引き受けたのである。

もちろん、MAS監査そのものは優れたサービスであるし、多種多様のサービスを顧客に提供し、顧客の問題を解決することは素晴らしいことである。問題はそうしたサービスが、士業を企業として見たときの戦略に照らし合わせた上で、遂行されてきたのかということである。

こうした問いに対し、全国の総合会計事務所や「町ベン」と呼ばれる法律事務所を代表とする地域密着型の事務所から批判の声が集まるかもしれない。だから、これは総合サービスを否定するものでもなければ、マーケットセグメンテーションを礼賛するものでもない。大手事務所において主力以外の業務も十分に遂行できる体制と能力を持っていることは、衆目が認めるところだ。

しかし、どのビッグファームの歴史を見渡しても、主力以外の業務をさまざまに展開し、総合事務所として一挙拡大成長した事例はないに等しい。

ここに士業の呪縛と因習を見るのである。

「戦略なき総合事務所化」においては、総合化することが戦略となってしまっている。成長に必要なのは、戦略を企業化すること、そして戦略を実行し続けることなのだ。

佐藤氏は戦略を実行しつづけることについて、次のように語っている。

「目標は、日本一の事務所をつくることです。日本一の定義は別として、北海道に事務所があり、北海道の中で事業を行っている限りは、決して日本一にはなれません。それでも、いつか必ず社労士法が変わると考え、いつになるかわからない中においても、そうなったときに必要となるものに対して、私は着々と準備をしてきました。支店展開が解禁された当日に東京に出店できたのは、それまでに投資する資本、人材を準備してきたからです。

今現在も、いつか業務独占がなくなり、士業が自由競争になることを前提にして着々と努力をしています。こうした努力は永遠に続けなければならないものだと思います」

「戦略の企業化」という言葉からは、都会化され洗練された響きが聞こえてくるが、実際にはもっと汗臭く、泥臭い匂いがするようである。

組織づくりの要諦

狭い業界だからこそ、同業他事務所の業務方針、仕事の進め方などについて揶揄（やゆ）したり、批判するような声を聞くことがある。しかし、実際はどちらの提供しているサービスも、やり方にそう大きな差があるわけではない。士業の中でも特に両極端が相入れにくい弁護士業界においても、業務内容自体に関しては、あまり差は認められない（もちろん弁護士個人間のスキルの差は、その限りではない）。

ここで多くの事務所が「違い」を表現したいのは、その専門性においてである。しかし現実には、顧客側も、細かい点までそう厳密に各事務所の専門性を評価するわけではない。

それでは、専門性とは一体何なのだろうか。士業が血眼になって争うこの問題はどう定義付けられるのであろうか。

この質問をすれば、10人が10人から必ず違った答えが返ってくるだろう。

一言で言えば、専門性とはその事務所が有する経験の総量にほかならない。だから、その経験値をどのように組織内にとどめおくのか、そのプロセスが問題なのである。

佐藤氏は士業の専門性について、次のように定義している。

「私なりに行政書士業や社労士業について思うことは、例えばBPO会社やシステム会社なら、専門性や属人性を廃して作業や知識を共通化していくことは、組織をつくる上で正しいやり方だと思います。

しかし、行政書士、社労士、税理士、弁護士、司法書士には皆、属人化・専門化した分野——つまり、その人にしかできないという分野を持たせなければ、事務所は成立しないのです。それを他の事業者と同じようにしようとすれば、士業の組織は破綻します。重要なのはその使い分けです。

その基準は、その人物がアテになるかどうか。アテになると感じれば思いっきり業務を属人化させていく。反対に危なっかしさを感じたら、No.2やNo.3を付けて共通化していく。そうしたバランスを取っていくことは、すべての士業において等しく重要だと思います。

私たちのビジネスでは、専門性こそが自分に対する誇りでありやりがいであって、それが組織に従属する継続性の担保になるということです。その点を勘違いせずに秤（はかり）にかけて、正しくオペレーションできるかどうか。業務を属人化できるスタッフを一人でも多く増やせるかどうかが、士業の組織を作る上での肝になります。

私は、社労士という名前の付いたＢＰＯ会社を作りたいのではありません。ＢＰＯもできる社労士事務所を作りたいのです。

ですから専門性を排除せず、属人性も排除せず、皆が専門家で、みんなが属人的な分野を持って、それが組み合わさって力を発揮できる組織をつくる。そうでなければ、顧客は我々を社労士事務所として認めず、ＢＰＯ会社との競争にも勝ち切れません。顧客がここは社労士事務所だから親切に教えてくれる、質問していないことまで教えてくれると思うような事務所にならなければ、いつか――業務独占がなくなったときに、私たちの業界はＢＰＯ会社に駆逐されてしまうでしょう。

親切、熱心、きめ細やかな対応。最終的には、人間的な側面でお客様は依頼先を選びます。こうした非効率なことは社労士事務所だからできるのであって、効率を追求するＢＰＯ会社にはできないことです。そうした非効率性――属人性、専門性こそが社労士事務所の特長であり、そのバランスで我々のビジネスは成り立っています。それが競争力であり、士業が生き残るための強みだと思います。

だから、その人に聞けば何でもわかるというスタッフが私たちの組織には必要なのです。彼らは自ら学び、自ら教えるようになります。だから、実は、属人化がもっとも効率が良いのです」

ここには、士業の組織の作り方の解が詰まっている。

事業拡大を阻む「壁」

事業拡大の前には、さまざまな壁が立ちふさがる。

公認会計士でありながら会計システム開発会社を創業し上場を果たした、株式会社オービックビジネスコンサルタント代表取締役社の和田成史氏は、自身の経験から次のように２０１６年の記事で話している。

「会社における危機は、大抵が金融・経済の問題と、人の問題と、金の問題。この３つの問題が交互に、しかもその都度形を変えて襲ってくるのですね。いつも同じパターンではないので、大変厄介です。

そしてそのたびに、経営者は壁にぶつかるわけですね」（注6）

労働集約型の産業である士業では、組織の規模が成長するに連れ、さまざまな困難や問題が、形を変えてやってくる。従業員が10人の時、50人の時、１００人の時……。それぞれのステージで形は違っても、それは必ず経営者の前に立ちはだかる。

この「壁」の詳細と対策についてを、佐藤氏は取りまとめ、『事業拡大の壁』と題して、ある講演で披露したことがある。

その内容は、士業ビジネスの本質――組織を拡大しようと思ったときに、壁を突破できる事務所とできない事務所に分かれてしまう理由は何なのか？――という疑問についてを、実に的確に言い当てているように思える。


「グループ内で言えば、ＳＡＴＯ社会保険労務士法人は今、従業員１０００人の『壁』の前にいます。その壁とは、『中間管理職の人材不足』の壁です。士業だけで従業員１０００人の規模を超えていくには、この壁を突破しなければなりません。

そのひとつの手段には、ＲＰＡ（Robotic Process Automation）等へのシステム投資があります。受注を増やしていくために、生産体制のさらなる強化が必要だからです。新しく生まれているＲＰＡやＡＩなどのテクノロジーを活用した事務所のシステム化を、いかに早く進めることができるか。それが１０００人を突破していくための近道だと、私は認識しています」


現在のＳＡＴＯグループの前にも壁がある。どのような組織にもそこに例外はないのだ――。

ここで「壁」と呼ばれるものは、もちろん現実に触れられるようなものではなく、あるともないとも言えないものだ。だからこそ、課題や問題を明確にする必要があり、それによってその後の成長の道筋を描いていく必要がある。同じことを、国内最大規模の税理士法人である辻・本郷グループ会長の本郷孔洋氏は、「仮説」と表現している。例えば本郷氏は、現在の会計事務所は「ビジネスモデルの終わりの始まり」にあるという仮説を立てている（2019年6月7日、会計事務所向けの勉強会「第146回情報交換会」の本郷氏の講演「フリートーク」より）。そして、仮説を立てることによって、今行うべきこと、これから進むべき方向性を明確に示している。

これらの課題設定は、佐藤氏のそれは組織の内側に向けられ、本郷氏のそれは外部環境に向けられているものの、課題や目標設定を行うというプロセスにおいては、同様のことを行っている（ように見える）。

佐藤氏は、システム投資のほかに現状の課題として、「中間層人材に対する教育の強化」を挙げた。問題は、人数の不足だけではなく、人材の不足にもあると言うのだ。そして、1000人の壁を突破するために、これから「200名の中間管理層の人材を育てなければならない」と具体的に数字を挙げている。

さらに人材育成のために、所内で「SATO塾」なるリーダー養成講座を開始したという。2年をかけて、中間管理層の人材を育成するとともに、幹部クラスの人材をそこで選抜していく。

つまり、１０００人の壁を突破する手段は「システム投資」であるものの、課題の本質は、中間層人材の充実にあり、その層への人材教育が必要だということである。現に、佐藤氏は「中間層人材への教育を怠ってしまった」と口にしている。

佐藤氏と親交の深い本郷氏に、ある食事の席でこの話をすると、「佐藤さんは立派だね、私にはできないなぁ」と、お手上げだと言わんばかりに苦笑した。このあたりは、それぞれの業界で最大級のグループを牽引するリーダーとはいえ、そのキャラクターは大きく異なるようだ……。


事業を拡大していくにあたり、組織が今、抱えている課題は何なのか。それを意識して明確に把握している事務所は少ないだろう。成長を阻む壁がどのようなものか見えていないから、何をどうすれば今の問題が解決できるのかが分からないままに行動することになる。そして右往左往しながらも何とか突破し、後になって「あぁ、あのときの突破口はここだったのか」と理解できるようになる。

これから紹介する「事業拡大の壁」は、それぞれの規模の壁を突破するための必要条件ではない。各事務所に同じタイミングで同じように立ちはだかるものでもなく、全ての事務所に当てはまる共通解でもない。

それでも、事務所が事業拡大を目指すとき、これから紹介する事項が、何らかの手掛かりになるはずだ。

①5人の壁：事務責任者を育てる

佐藤氏が作成した事業拡大の壁の「5人の壁」の項には、「事務処理の責任者を育てる事」とある。

「この項では、従業員数が5人になるまでに、内勤事務の仕事を任せられる責任者を育てられなければ、5人の壁は突破できないと説明しています。全てを任せきれないにしても、最終チェックだけをすればよいというような環境をつくりあげなければならないと思います。

なぜなら士業で顧客を開拓できる能力のあるのは、資格を持った先生だけだからです。先生がその多くの時間を見込み顧客のために使わなければ、次の成長はできません。その時に、先生がもっとも事務を抱えていることになれば、それ以上の成長は見込めず、だからこそ成長スピードが鈍化していきます。

私自身も一人で開業し、従業員が5人になるまでは大変でした。最初に採用したスタッフが、十

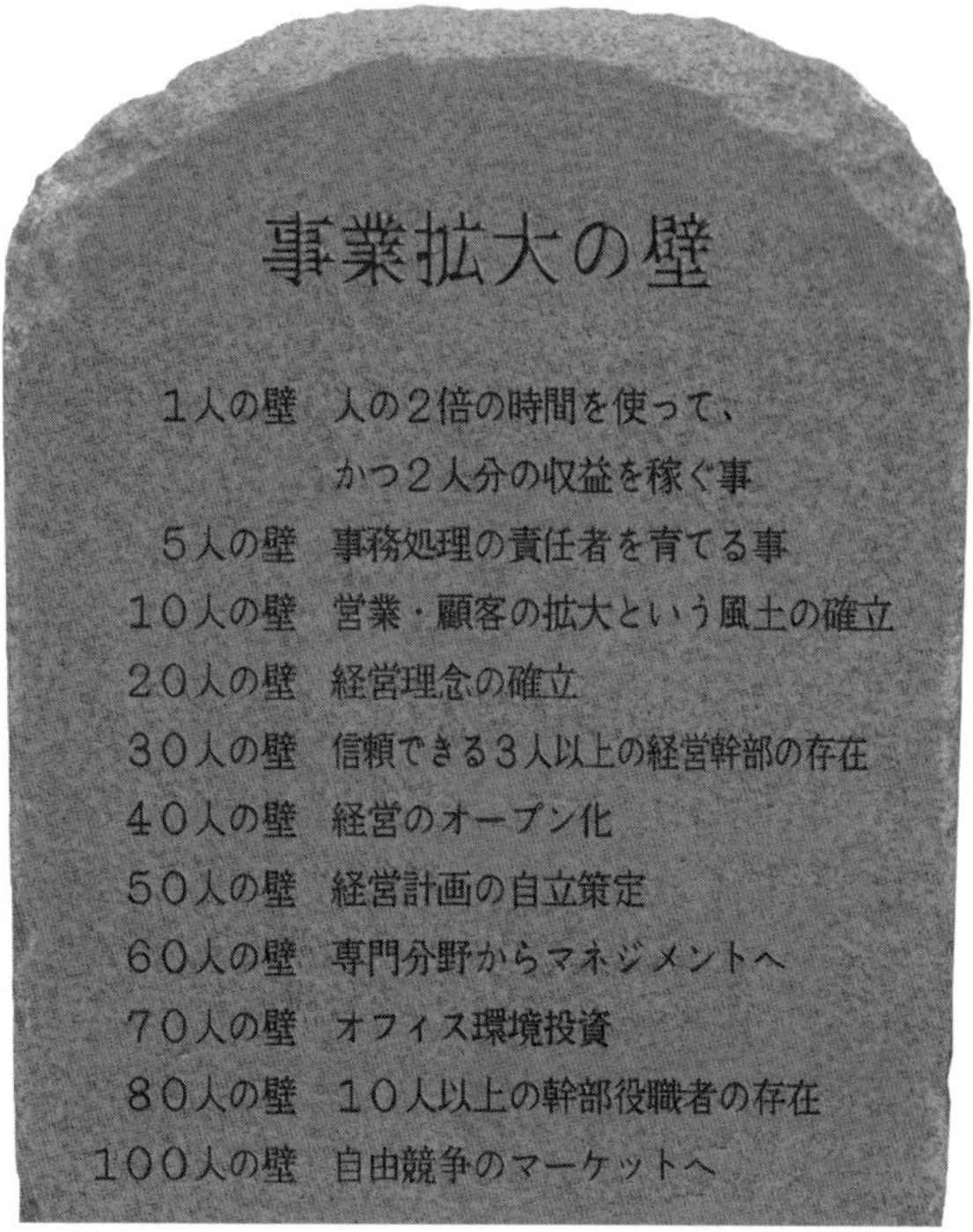

事業拡大の壁

１人の壁	人の２倍の時間を使って、かつ２人分の収益を稼ぐ事
５人の壁	事務処理の責任者を育てる事
１０人の壁	営業・顧客の拡大という風土の確立
２０人の壁	経営理念の確立
３０人の壁	信頼できる３人以上の経営幹部の存在
４０人の壁	経営のオープン化
５０人の壁	経営計画の自立策定
６０人の壁	専門分野からマネジメントへ
７０人の壁	オフィス環境投資
８０人の壁	１０人以上の幹部役職者の存在
１００人の壁	自由競争のマーケットへ

分な能力を持った人材であるということは稀なケースでしょう。ですから当初は、外では自分で仕事を獲得し、内ではスタッフに仕事を教えながら、自分の生活費とともにスタッフの給料を稼がなければなりません。

「事務の責任者を育てあげるまで、5人なら5人分の仕事を一人で稼ぎ、事務をこなさなければならないのです。開業から3年間は、私もそうやってきました」

ここまでの規模であれば、ほとんどの事務所に特別な強みや特徴はない。だから、あるのは先生の個性や資質と、営業力だけと言っていいだろう。だからこそ、事務の責任者を育てられなければ、この壁は突破できない。

現に、多くの事務所はこの壁を突破していない（もちろん、その多くは個人事務所であり、そもそも壁を突破しようなどとは思っていないのだろうが…）。

「事務の責任者を育てることは、それほど難しいことではないと思います。所長が教育する努力を惜しまなければいいだけだと思います。

私が幸運だったのは、最初のスタッフが立派に育ったことでした。彼女は43年経った今でも在職し、部長を務めています。だからと言って、始めから彼女が特別に優秀だったわけではありません。

当時の私は、彼女に何度かこのようなことを話しました。『お前が豊平川（札幌市内を流れる一級河川）に流されたら、私はためらわずに飛び込むからな』と。そのくらい大切に考えていること、だから付いてきてほしいということを伝えたかったわけです。今思えば、馬鹿な話をしていたなと思いますが、当時は真剣に話していました（苦笑）」

そうやって懸命に教えたスタッフが、もし辞めることになれば、くじけてしまいたくもなる。それでも、教育を諦めてはならないのだ。何度でも諦めずに、教育を続けていかなければならない。

大阪を中心に多拠点に展開する税理士法人ＳＢＣパートナーズの代表、柴田昇氏は２０１７年の取材でこう話している。

「世の中には、私たち会計事務所の仕事はたくさんあると思います。仕事が増えないのは、人の問題だと思います。いかに人財を採用して教育し、戦力化して定着してもらうか。これをしっかり行うだけで、仕事は広げられると思います」

「以前は、組織の規模も小さかったので、私たちに合わない人は来なくていいと割り切れましたが、これからはそういうわけにはいきません。

仕事を通して、そのスタッフの自己実現を果たしていくことが職場の大きなテーマであると思います。そのためには次のステージやチャンスを用意しなければなりません。それを与え続けていこうと思えば、右肩上がりに成長していくしかありません。

これから成長していくにあたっては、私たちもこれまでの教育の仕方ではいけないと思っています。ですから、変えるべきものと、変えてはならないものを見極めながら、どのように会社としても、個人としても成長していくのかはひとつの大きなテーマだと思います」（注7）

社員に向けて講話を行う佐藤氏

②10～30人の壁：営業する風土を作る

「10人の壁は、大きな壁です。なぜなら、お客様を増やすこと、仕事が増えていくことに対して、社内が抵抗勢力になってしまったら、それ以上の成長を望めないからです。

この壁を突破する方法は、新しく取ってきた仕事や既存の顧客を、新しいスタッフにスライドさせながら任せていくことです。そうやって人数が増え、組織は大きくなっていきます。スタッフにとっては、自分の負担が増えるわけではなく、部下が増えていくだけになり、より仕事のやりがいは増していきます。

少なくとも所長をのぞいた残りの9人の職員全員が、新しい顧客が増えていくこと、今までやったことのない業務に取り組めることを喜べる風土を確立するために、『成長すること』への布教活動にも似た教育が不可欠です。

同じように、20人の『経営理念の確立』、30人の『信頼できる3人以上の経営幹部の存在』は、端的に言えば、営業する風土を守るということです。これは、「お客様が増えていくこと、事務所が大きくなることは組織にとって良いことだ」ということを真剣に、笑顔で話せるスタッフが、所長以外にどれだけいるかということだと思います。

この規模になれば、所長が事務所にいる時間が少なくなってきますので、その不在の時間を補強するためにも、経営理念の確立が必須となり、それを所内に根付かせるために経営幹部の存在が欠かせなくなっていきます」

ここで、「信頼できる経営幹部」とは誰なのかということが問題になってくる。20～30人の規模のとき、所長が「信頼していた」と話すスタッフが、その部下を引き連れて退職していったという話を耳にする機会は実に多い。

一体、何を持って「信頼できる人材」と言うべきなのか？

その疑問に対し佐藤氏は、「信頼できる人材とは、『何があっても辞めない』人材」だと説明する。

仕事ができるかできないかはともかく、一緒に頑張りたいと思える人材、途中で辞めずに付いてくるだろう人材。そうした人材こそ、「信頼できる経営幹部」と定義するべきだと佐藤氏は話している。

「もちろん、この事務所に骨を埋めるつもりがあるのかと踏み絵を踏ませたり、契約を交わしたりするわけではありません。しかし、互いにそうした心証を感じながら仕事に向かうことができなければ、経営者は思い切った手を打てませんし、部下が不信や不安を抱えて仕事をしているようでは、足取りもままならず、いざという時に踏ん張りが効きません。

ですから、『絶対に辞めない』と思える人材を何人増やせるのかが、このタイミングからの組織の成長の鍵になってくるのです」

③40～50人の壁：経営をオープン化する

「40人の壁」の項では、組織が大きくなってくると、経営のオープン化が不可欠になってくる。自分の事務所がどのような状況にあるのか分からないような組織で、幹部人材が育つわけがないからだ。

「私の場合は、40～50人の規模になるまで、特別にオープン化する必要を感じませんでした。その規模になるまでは、所内の人間関係を構築するだけで組織が成長してきたからです。

しかし、組織が40人を超えるようになると、社内に現在の状況を開示することが必要だと感じるようになってきました。

その理由は、その時、以前より収益性が落ちてきたからだと思います。その規模になるまでの組織体制では、現場における私のバリューが高く、その分、収益性は高まっていました。そうは言っても経営が安定していると言うには程遠く、これから成長していくためにも様々な投資が必要でした。そうした理由で、収益性が高くても、むしろオープンにはできませんでした。従業員には、投資がまだまだ必要なことなどは分からないからです。

フルオープンにしなければと思い始めたのは、私が現場の仕事を抑えるようになり、

５０名規模のころの集合写真（佐藤氏 40 歳のころ）

組織力で仕事を行い始めるようになってからです。皆の工夫と努力が必要になったのです。

私の場合はそのタイミングが、従業員が5名や10名のときではなく40名の頃でした。これは事務所によって時期は異なるかもしれませんが、いずれにせよ、経営のオープン化はどこかのタイミングで必ず必要になってくるものだと思います」

オープンにする具体的な対象については、

「給料と客単価、社員の平均給与・賞与、あとはバランスシート、すなわち自己資本比率、内部蓄積がどれくらいあるかなど、すべてを公開しています。

総勘定元帳が社員休憩室に置かれているんです。ですから、パートさんでも、私の報酬額を知っています」（税理士法人古田土会計・古田土満氏、2012年の取材に答えて）（注8）

「会社の利益や内部留保などの数字は全て、パートスタッフに至るまで公開しています」

「ただし、各個人の給与報酬額だけはクローズしていて、代わりに全従業員の給料と社会保険料、有給消化日数、福利厚生などを含めた一時間あたりの時給にして、公開しています」（行政書士法人きずなグループ・森本楽氏、2019年の取材）（注9）など、様々な証言がある。

また、会計をオープンにするメリットについては、2015年の取材で弁護士法人新潟第一法律事務所（現・弁護士法人総合法律事務所）の和田光弘氏が、

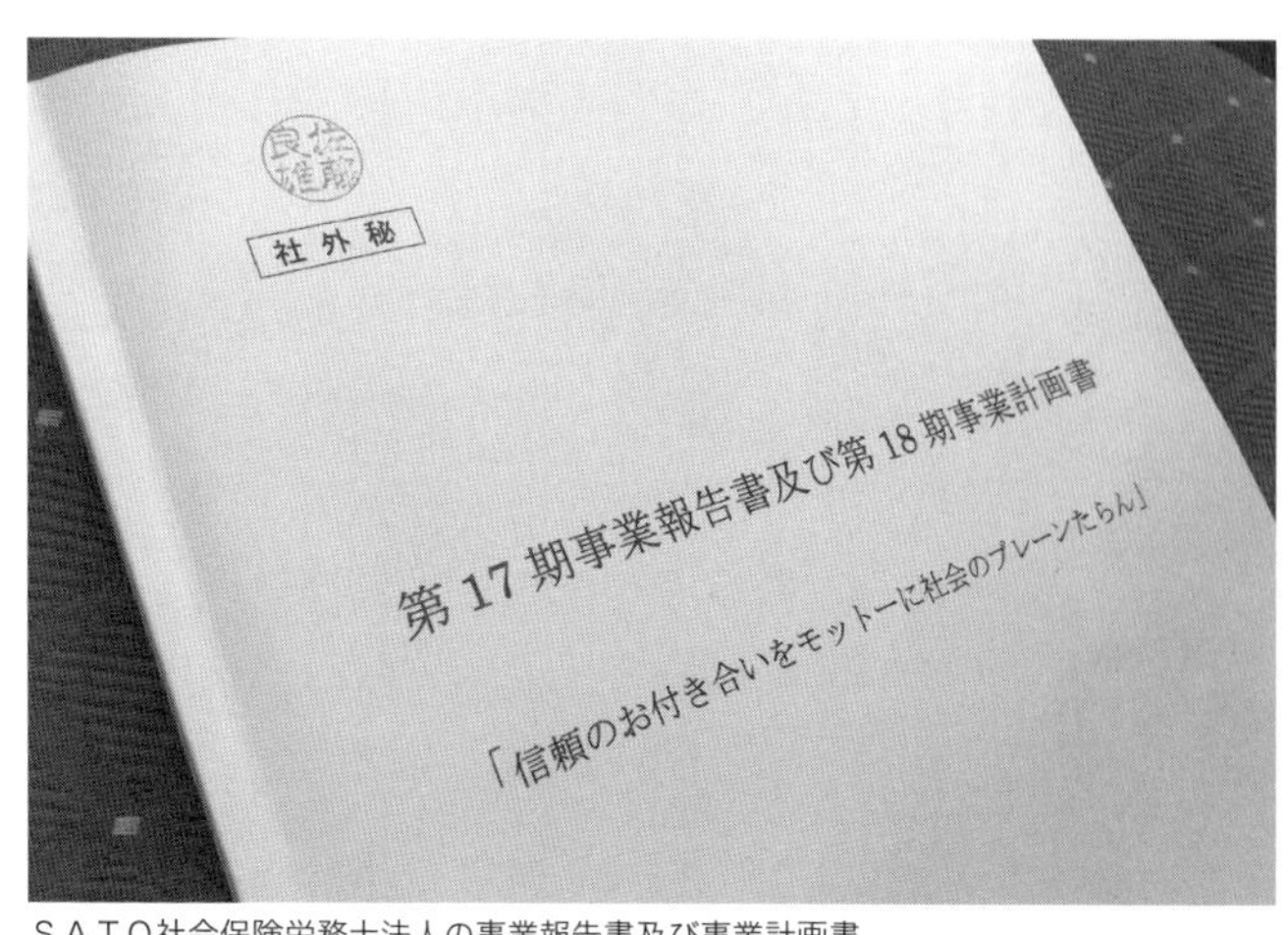

ＳＡＴＯ社会保険労務士法人の事業報告書及び事業計画書

「会計を公開することで、何にどこまで投資が可能なのかを皆で議論することができます。そういう議論ができるのは組織として非常に大きいですね」

と話している。（注10）

「50人の壁」の項には、「経営計画の自立策定」とある。この項の「自立策定」とは、従業員が自分たちで経営計画を策定することを意味している。ここで従業員が作るのは、目標数値を定めたいわゆる行動計画だ。

「経営計画を従業員自身が立てると説明しているのですが、それは言い過ぎですね（苦笑）。弊グループでも実際にそうはなっていません。今でも計画の作成には、私が関与しています。

しかし、たとえそうであっても、従業員が自分たちでするべきことを定め、数値目標を立て、行動計画を確定させ、コミットするというプロセスが必要です。人は誰でも自分で立てた目標でなければ実行できませんし、自分の目標を立てられるのは自分だけだからです」

以上が、「50人の壁」の項までの説明だ。事業拡大の壁は、これ以降も60人、70人、80人、100人と続く。

最後に、佐藤氏は以下の言葉を付け加えた。

「私にとっては、すべてが大きな壁でした。私はすべての壁を、自分自身の考えや行動、あるいは直感で突破してきました。しかしもし、誰かがこうした壁を突破する方法を事前に教えていてくれていたならば、もうすこし成長スピードが速まっていたのではないかと思います。

いつ、どんなときに、どのような問題が起こるのか。予測がつくなら準備も対処もできると思います。ですから、これが何かの参考になればと思っています」

④人材育成と組織生成に必要なプロセス

現在のＳＡＴＯグループに立ちはだかる事業拡大の壁は、この章の冒頭で話したように「１０００人の壁」であり、具体的には、「２００名の中間管理層の人材育成」となっている。

２００名の管理職を育成する——！

多くの事務所にとっては、たった一人の人材を育成するのでさえ骨の折れる大仕事であり、困難を極めることではないだろうか？

組織づくりや人づくりにどのように取り組むべきかを語る前に、ＳＡＴＯグループの組織体制についての説明をしておこう。現在、ＳＡＴＯグループには全国８つの拠点がある。そのうち東京オフィスだけが組織体制が異なり、大企業向けと中小零細企業向けの組織を、ＳＡＴＯ社会保険労務士法人と日本社会保険労務士法人に分けて業務を行っている。それ以外の拠点では、どちらの業態もＳＡＴＯ社会保険労務士法人の組織の中で行う。

東京以外の拠点には３つの業態があり、地域の大企業向け、地域の中小零細企業向け、東京などで受注した大企業向けのＢＰＯ業務の事務処理に分かれる。

ＳＡＴＯグループは、こうした3つの業態があることで、それぞれの拠点の規模を大きくすることが可能になっている。そしてそれこそが、人材を育成するポイントになっているのだと佐藤氏は話す。

「拠点を出店する際は、ある程度の規模をもって立ち上げることが必要です。出店時は、その地域での仕事がたくさんあるわけではありません。ですから、弊グループでは当初は東京や札幌からＢＰＯ業務を切り分けて業務量を確保し、従業員を増やしていきます。

それから、新しく取った仕事をローテーションし、各拠点の組織を大きくしていきます。そうやって多くのスタッフの中から、人材をセレクションして育てていくのです。

一定の組織がなければ、人材のローテーションはできません。そして多くの場合、人は上司や同僚との人間関係の問題を理由にして辞めていきます。しかしセクションを変えられるなら、その問題を解決することが可能になります。

一方で、特別なことがない限り、入所した人材が辞めずに、皆が残っていくことはないと考えるべきです。人材の流出入がある中で、10人や20人の中から1人、2人と育っていくプロセスがなければ、人材育成は場当たり的なものになってしまいます。

ですから、従業員が辞めていくことを恐れず、反対に辞めていくことを前提にして、人材育成のプロセスを築いていくべきです。

そうした意味では、組織づくりは10人になるまでの過程が難しいものだと思います。組織が大きくなればなるほどマネジメントはしやすくなっていくものです」

もう一つ、佐藤氏は、人材を育てるために、避けては通れないことがあると話す。それは「組織の崩壊」だ。

「人材を育成する近道は、『早く任せて、失敗を覚悟すること』です。経験の浅いリーダーが、部下や顧客とトラブルを起こすことは始めから覚悟しておかなければなりません。ここでも失敗を恐れてはならないのです。部下に組織を預けて、すぐにうまくいくなどということはありえません。組織の管理は、経験をさせて失敗しなければ、できるようにはならないのです。

弊グループでは、この例に漏れず、どの拠点も規模が10名を超えた時点で、一度は破綻を経験しています。そしてそのときに、拠点長であるリーダー以外の10名のスタッフが、くしの歯をひくように辞めていき、組織はボロボロになりますが、経営陣はトップに据えた者を守りきります。たとえ、ほかのすべてを失っても、このリーダーを守りきるのです。

もちろんリーダーの誤りや間違いは正す必要がありますが、たとえリーダーに落ち度があって非難が集まったとしても、経営陣はリーダーを支持します。

これは、その人材への『事務所は、裏切らない』というメッセージです。組織から絶対の信頼を示すことで、人は育ち、力を出し切れるようになっていきます。こうした経験を経なければ、その人材は真のリーダーになれません。リーダーが育っていく過程においては、すべてこうしたプロセスが必要なのです」

時代とともに、こうした信頼をベースにし熱を持った関係性を組織と部下において構築していくことは、ますます難しくなってきている。それに抗うこともまた難しい。それでもＳＡＴＯグループは挑戦し続ける。時代により、コミュニケーションやメッセージの形は変わっても、人の育つプロセスは変わらないからだ。

3章　勝者のメンタリティ

経営者の生態

士業には、さまざまなタイプの経営者がいる。マーケッターとテクニシャンとは、士業事務所の経営者における両極端である。マーケッターは人脈や営業力、Ｗｅｂの技術を売り物にしており、成果を求めて動き回る。テクニシャンはセールストークも知らず、顧客開拓に強い関心を寄せることはない。成果よりも仕事それ自体をひたむきに愛している。

特にテクニシャンは、一言会話を交わしただけでもすぐにそれとわかるほど特徴的である。あたかも物心ついてから、数えられるほどの人間としか話したことのないように見える。要するに社交的ではないのである。ところが、彼らが生きがいとしている領域の話になると、相槌を打つのが辛くなるほど饒舌となり、話が止まらない。テクニシャンには、かつての「大先生」のイメージがそのまま残っている。

もちろん社交的でウィットに富んだテクニシャンたちもいる。トップクラスのテクニシャンにこ

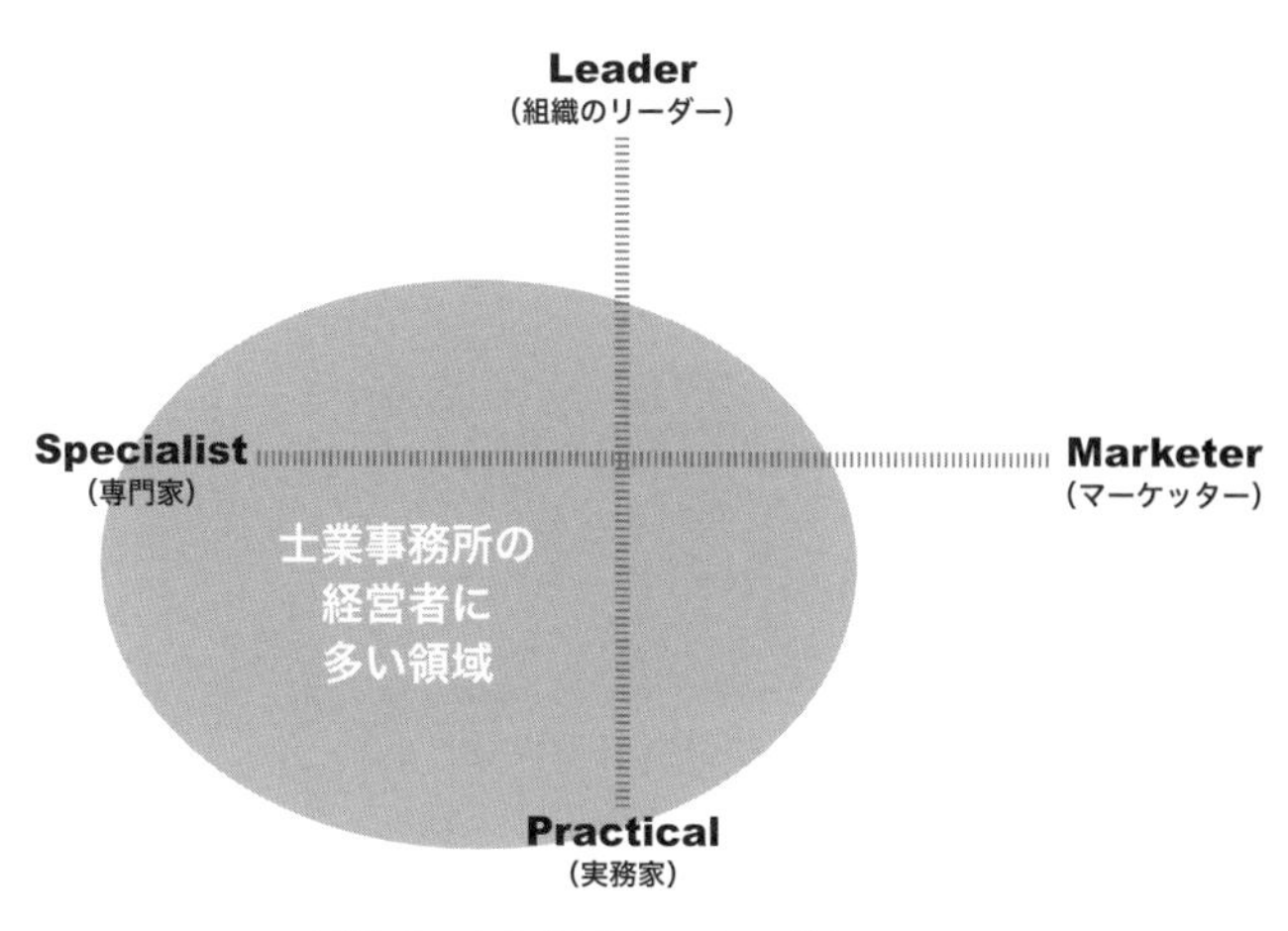

士業には、さまざまなタイプの経営者がいる

そ、そうしたマネジメント層が多く、あたかもスーパーマンのような能力を感じさせる人物もいる。

この2つの両極端の間に多くの士業経営者がいる。中間層の経営者たちは、概ねリスクを嫌い、安全を重視し、かつ誠実な知識層であり、士業の論理を忠実に守っている。多くはテクニシャンであり、マーケティングにも有能だが独創性を欠き、事業意欲は強くない。この層に、精力的な活動家としての熱量を感じさせる経営者を見つけることは難しい。

一昔前の会計事務所では、「10年、10名、1億円」が成功事務所の目安とされていた。開業10年で従業員10名、売上1億円を達成することがマイルストーンで、その後も「20年、20名、2億円」と続いていく。昔から、セールスマンシップ、勤勉、忍耐の3つが経営者の成功の要件と考えられてきたが、これは今でも生きている。ただし、スピード感は、現在と異なっている。近年は10年で100名になる事務所すらある。

士業で成功するためには、人並み外れた人間である必要はない。一定レベルの能力を持ち、顧客に対して献身的であり、かつ仕事に誠実であれば一定の成果は上げられるだろう。

とは言え、「これが士業を成功させる典型的なやり方だ」と言えるほどの法則があるわけでもない。組織の個性、価値観、強み、履歴、商圏などは種々雑多である。その中でもし、成功法則があるとすれば、経営者の働き方の中に共通項を見つけられるかもしれない。

「独立して事務所を開業すれば皆が皆、懸命に仕事をすると思います。しかし、自分では努力をしているつもりでも、それが正しい努力なのかどうかを測る術（すべ）はありません。もしかしたら同業者の半分の時間しか仕事に使っておらず、そのスピードも劣っているかもしれません。しかし、それが本人には分からないのです。

私は23歳で開業した時に、自分との契約をしました。その時に作ったルールの一つは、睡眠時間は4時間にすること、経営者にしか会わないこと、二次会に行かないこと、人に誘われないこと、テレビを見ないこと、洗面所で常に直前の行動を反省することなどです…」

佐藤氏の使用しているビジネス手帳。この厚みで１年分

と、佐藤氏からはいくつもルールが挙げられていった。すらすらと淀みなくそれらが出てくるのは、それから40数年経った今でも、契約を「履行」し続けているからだ。

なぜこうした「契約」が必要なのか。我々のような常人がそれを理解するためには、スポーツ選手の物語に助けを借りるといいだろう。スポーツ選手は、次の大会で勝利するために、毎日どのようなプログラムを行えばよいのかを考える。多くのスポーツ選手は、目標を達成するためにトレーニング・プログラムを組み、毎日自らを黙々と追い込んでいくだろう。追い込めば追い込むほど、目標が成し遂げられるものだと信じながら。

経営者なら幾度か、経営セミナーや研修会などに参加した経験があると思う。そうしたトレーニングを行っている経営者はいると思うが、トレーニング・

プログラムを立て、それを日々、粛々と継続し続けられる経営者はどれほどいるだろうか。佐藤氏は次のように話を続ける。

「開業当時は、5年で北海道一になることを目標に設定しました。当時の行政書士事務所は、職員数が10名になれば北海道一になることができました。それを達成するためにするべきこととは何か？　それを私は、『自分との契約』と呼んだのです」

佐藤氏は大学在学中の19歳のときから、開業の準備を着々と進めている。20歳で行政書士の資格を取り、21歳から司法書士事務所でアルバイトを始めた。その時にはすでに行政書士会に開業届けを出し、登録も終えている。１９７４年に登録をして行政書士会に入り、研修などを通して「道内一」の水準を知ったのがその頃だ。

そして「5年」と目標を定め、営業構造を組み立て始める。そのためには何件の顧客が必要で、それには何人の人と会うことが必要で、そのためには1日何時間の活動が必要か。そう逆算していくことでルールが決められていったのである。

そして、その目標は計画通りに達成されることになる。

自宅で開業し、茶の間に机を置いて、留守番電話を買い、仕事を始めた。1年後に最初の従業員を雇い、事務所を借りる。そうやって従業員を増やしていくところは、なんら他の事務所と変わらない。もし、変わるものがあるとすれば、それは、目標設定と自分との契約があったことかもしれない。

さらに付け加えるなら現在、SATOグループでは、秘書スタッフが佐藤氏のすべてのスケジュールをコントロールしている。例えば、連載当時は、佐藤氏のスケジュールの隙間を縫うようにして行ったが、そのとき、常に間に立って調整のさまざまを取り持ってくれたのが秘書スタッフであり、だからこそこうした連載の原稿も、締切に間に合わせることができた。さらに、全従業員は佐藤氏の24時間のスケジュールを知ることができるようになっている。もちろんその日程は、切れ目のないほど埋まっている。

こうした仕組みで佐藤氏は、自身を「働かせて」いる。そしてその枠組みの中で成果を出していく。自分で自分をコントロールするのは不可能だ。そこには甘えも出る。そうした考えが根底にある。そこまでして自身の行動を律している経営者をほかには知らない。そうしたスキームを事務所内に作っている士業事務所は、特に個人事務所にいたっては皆無かもしれない。

SATOグループでは、「顧客から信頼を得る人間像」として、あるべき姿が定義されている。

内容はさほど特別なものではない。「人間的側面から見た信頼される要素」としては、「誠実さ」「親切な感じ」「やさしさ」「明朗」「思いやり」「責任感」「自信のある態度」「ていねいさ」「熱心さ」が挙げられている。次に「外観的な側面から見た信頼される要素」には、「気持ちの良い服装」「清潔な感じ」「明るい言葉」「テキパキした動作」「健康的な感じ」とある。

他事務所との違いがあるとすれば、「専門家として期待される要素」が後回しになっていることだろうか。それは、知識や専門性よりも、内面性や見た目で信頼を勝ち取れるかどうかは決まると考えているからだ。

それ以上に特別なのは、これが従業員に対しての要望であるだけではなく、自身に課すべきメンタリティだと捉えていることだ。

従業員に強いるものであれば、まず自分が守らなければならない。ＳＡＴＯグループならば、千人の視線がそのふるまいに注がれることになる。それは、もっとも強制力のある仕組みとなるだろう。

顧客から信頼を得る人間像

人間的側面から見た『信頼される要素』

① 誠実さ
② 親切な感じ
③ やさしさ
④ 明朗
⑤ 思いやり
⑥ 責任感
⑦ 自信のある態度
⑧ ていねいさ
⑨ 熱心さ

外観的な側面から見た『信頼される要素』

① 気持ちの良い服装
② 清潔な感じ
③ 明るい言葉
④ テキパキした動作
⑤ 健康的な感じ

技術的な側面から見た『信頼される要素』

① 専門知識
② 顧客の話を良く聞いて理解する能力
③ 顧客を納得させうる表現力
④ 話し方
⑤ 顧客に利益を説明できる計算力
⑥ 専門家としての個性・らしさ

ＳＡＴＯグループの会社案内より抜粋

使命感を胸に

士業事務所としてビジネスを優先することは、士業本来の話ではないという議論もある。一方で、独占業務のある士業は、ビジネスとして恵まれているのは事実だろう。そして、その利点を生かし、自身の能力をフル回転させた経営者が、新規顧客を次々と獲得していくのも事実だ。

士業ビジネスの拡大は、あえてシンプルに言うならば、それだけの話だとも言える。士業事務所にとって、経営者の能力こそ最大の資産である。したがって、それに比例して顧客が増えていくのである。

弁護士法人ＴＬＥＯ虎ノ門法律経済事務所の千賀修一氏は、事務所の拡大について２０１６年の取材で、

「事務所が大きく成長するのは、私が司法書士の資格をとって、総合法律事務所にしてからです」

「もともと不動産に強い（法律）事務所でしたから、弁護士業務で取り扱った物件に関して、「登

記も一緒にやる」という信頼で仕事を広げていきました。さらに、土地家屋調査士の独占業務である表示登記も行い、これらをワンパックにして、当時は誰もやっていない革新的なパッケージをつくったのです。それが目玉の商品になってどんどん仕事を受注していきました」

と語っていた。（注11）

こうした能力を高めていく経営者には猛烈なハードワークが課せられている。士業事務所の経営者が、まさにオーナーシップであり、権力が集中しているという現実はつまり、従業員にだけ労働を強いるような、怠け者の経営者の存在を許さないのである。

前述のものと同じ取材で千賀氏は、

「決めていることは、毎週必ず平日の昼間に休むこと。定期的に平日の午後に3～4時間、お昼を食べながら休むんです。その時間は仕事は入れずに体を休ませるために、必ず休みの予定を入れています。

ただ、週のうち、休みと言えるのはその時間だけで、あとは365日仕事をしています。土日も仕事をしているし、休みはないですよ。だから、しっかり体を休ませる時間はとっているんです。人間だから張り詰め続けたらパンクしますからね」

と語っている。（注11）

千賀氏の例に限らず、取材の中でハードワークが話題に上がる機会は多い。弊誌の取材で話を聞いた多くの士業経営者たちは、大抵朝の8時半までにはオフィスに入る。また夜のニュースに間に合うように帰宅する人間などもあまりいないし、1日16時間働くことも珍しくない。事務所で12時間働き、種々の会合や顧客との付き合いで新規開拓のために2時間働き、さらに家に仕事を持ち帰って2時間働くといった具合である。

「家族との時間ですか？ うちは母子家庭のようなものですよ」と国内最大の行政書士事務所を率いる森本楽氏（行政書士法人きずなグループ）は、冗談めかして話す。家族と食事をすることができるのは毎月1、2度のみ。すぐに予定が埋まってしまうのだ。創業期は営業に、現在は教育や採用の時間に、土日を当てている（専門とする自動車登録業務では、土日がディーラーの休日ではなく、各拠点のメンバーとの合宿などのイベントもあり、休日の予定は埋まってしまうのだ）。そして、教育や採用の仕事をほかのスタッフに任せられるのなら、今度は新規事業の開発のために時間を使いたいと話す。だから、実際には「埋まってしまう」のではなく、スケジュールを自ら進んで「埋めていく」のだ。

「私の場合は借金を抱えて創業しましたから、食事と風呂、寝るとき以外はずっと仕事をしていました」と話すのは、首都圏に10拠点・160名体制（取材当時）で測量・調査士業務に取り組む株式会社森事務所の森秀夫氏。当時、一年間で休んでいたのは年末年始の5日間と、調査士会の慰安旅行の一泊のみ。法事を除けば、それ以外に休日はなかったと話す。日曜日に休めるようになったのは開業から4年が経ち、スタッフを雇えるようになってからだという。

司法書士法人山田合同事務所を中心とし、同業界最大の316名（取材当時）の山田グループを束ねる山田晃久氏は、72歳になる現在（取材当時）も、地下2階から事務所のある18階まで、毎日400段の階段を歩いているという話だ。その理由を聞くと、「開業当時と変わらないスタイルで業務に取り組み、お客様に最高のサービスができるよう、健全な身体を維持する努力をしているだけである」と、こともなげに答えた。

創業時を振り返って交わされる経営者たちの会話の主要な話題の一つには、その労働時間の長さがある。経営者たちは労働時間を誇りにしている。彼らの多くは、家族サービスに割く時間がないとこぼす（「子供たちと遊んであげたことがほとんどない」というのがよく聞かれる決まり文句だ。それに離婚経験者が多いのも「あるあるネタ」となっている）が、それはカモフラージュに過ぎない。実際は仕事が心底好きなのである。それゆえに、成功しているのである。それは佐藤氏も同様だ。

「20代はとにかく無我夢中で仕事をしていました。当時は考えるよりも体を動かすことが常に先でした。顧客をまわり、紹介をお願いし、一日でも早く書類を仕上げ、一つでも多くの報告や助言をする。

現在の士業ではそうしたことをやらなくても、Ｗｅｂで顧客を獲得することができます。しかし、当時はいかに多くの人と会うか。会った人の数だけ顧客は増えていきました。たくさんの人たちと出会い、その人達のために朝から晩まで仕事をする。そうやって自分と事務所が成長していく。こうしたことは、今でも同じだろうと思います」

肝心なことは、経営者は、身も心も仕事に捧げなければならないということではない。経営者をこうしたハードワークに駆り立てるもの、それに耐えうるメンタリティが必要とされているのだ。そしてそれこそが「使命感だ」と佐藤氏は話す。

「人材紹介会社のキャリアバンクを開業したときは、労働市場は現在のように転職が自由にできない、選択の利かない市場でした。こうした課題を解決することに使命感を感じて、職業紹介業を始めたのです。

マーケティングの視点から言えば、社労士や行政書士の仕事を、私たちは外注として受けていま

人材紹介会社・キャリアバンク株式会社の札幌オフィス

す。ところが、同じニーズは企業の中にもあります。それが人材派遣のマーケットです。ですから、私はそのサービスを提供するために、派遣会社の業態を作りました。

結局、私たちの仕事は専門性の高い仕事だと言われていますが、派遣社員が派遣先企業の中でする仕事も、経理、秘書、売掛金管理など、それぞれ専門性が高いものです。士業でも派遣でも同じ仕事をしているのですが、派遣のニーズの方が何倍も大きかったので、派遣会社の方が成長し、上場できるまで拡大することができました。

私は、自分の抱いた課題を解決していくタイプの経営者だと思います。私たちは北海道が本拠地なので、地域の活性化や発展においても、さまざまな課題を感じていました。現在のキャリアバンクの課題は、高齢者の労働市場の創造です。高齢者の労働市場は、この国にはまだありません。まずは北海道で亡くなるその時まで働くことのできる労働市場を作ることが現在の課題であり、使命です。

いつから仕事はつまらなくて、辛いものになったのでしょうか。仕事はもっと楽しくて、自分の成長も感じられるものだったはずです。私はここに疑問を感じていて、「WORK WORK（ワクワク）社会の創造」という使命を、自身の課題として設定し、キャリアバンクという上場企業の運営を使命感を持って行っています」

佐藤氏にとって、このキャリアバンクの事業は、士業の傍らでシナジーを稼ぐために行っているものではない。例えば、会計事務所グループにある記帳代行会社や保険代理店、司法書士事務所グループにある不動産会社が例に挙げられるように、多くの士業では事務所の顧客のニーズを、グループ下の別法人で吸い上げることで、グループ全体の売上を拡大していくことが容易にできる。

しかし、ＳＡＴＯグループ内には、そうした商流はない。人材紹介サービスなら人材紹介サービスを、それ単体で提供している。佐藤氏は「（キャリアバンクやエコミックは）士業の副業ではなく、あくまで本業として行っているのだ」と強調している。

佐藤氏の考えでは、アライアンスを組む相手は「自分にとって最適な組み合わせ」ではなく、「お客様にとっての最善の選択肢」となっているべきであり、実際に給与計算会社のエコミックの最大の取引先は、自グループのSATO社会保険労務士法人ではない。反対に、SATO社会保険労務士法人の主要な取引先は、株式会社ペイロール（国内最大級の給与計算会社で、エコミックの競合企業）となっている。

こうした業界の常識とは真逆の選択を佐藤氏が当然のように行っているのは、前述した「使命」を持って、各サービスを提供しているからにほかならない。

若い世代の経営者からは、こうした壮大な使命を聞く機会は少ない。会社の使命とは、会社案内や経営計画書の体裁を整えるためだけのものに成り下がっているかもしれず、従業員のほとんどはそうした事項は読んでいない。

しかし、使命こそが経営者を突き動かす原動力となる。あるいは引くべきか、進むべきか使命によって判断するための羅針盤にもなる。

――使命感こそは、経営の舵取りを決定させるものである。

その使命が同業者に理解されないことなど、大した問題ではない。

ロールモデルを作る

①新大陸：巨大監査法人

使命感を抱いてこれから大海原にさぁ乗り出そうというとき、進路は定まっていたとしても、操船についてはまた別の問題となる。そのときに手に取ったものが、櫂（かい）か、航海図か──。それによって何海里先まで進めるのか、目的地は変わってくる。自身が身を置くビジネスの世界に果てがあると考えるか、「新大陸」の存在を信じるか。

「事務所の将来に対するビジョン、どのような事務所を作りたいかという考えが、まだ明確にまとまっていなかった頃に、偶然に手にしたのが『ビッグ・エイト』という本でした。それは開業してから7年ほど経った頃で、私は30歳前後だったと思います。その本に書かれていたのは、米国の

8つの巨大監査法人、今で言う4大監査法人の内情や内幕です。

その書籍には、数千人規模の監査法人がどのように組織化され、運営されているのかが書いてありました。私はそれを読んで、同じ士業なのに比較にならないほど大きな組織があるということと、その組織の構成や活動が、非常に進んだ考えの下に運営がなされていることを知りました。

組織作り、経営手法、マーケティング、人材育成…。これらのものに、日本の士業には参考とするべきモデルが、今でもありません。それで、私が最初にマネジメントのロールモデルにしようと考えたのが、『ビッグ・エイト』に書かれていた監査法人でした。

その後に、実際にビッグ・エイトなるものが目の前に現れて、そこから私はさまざまなことを学んでいくようになりますが、それは、もうすこし歳月が経ってからのことでした」

②出会い：キーパーソン

「１９８８年、ニューヨークの公認会計士が札幌にやってきます。札幌の中堅企業のＩＰＯ支援を行う目的で、プライス・ウォーターハウス（現ＰｗＣ）が札幌に事務所を出店するということでした。私は、金融機関の方からこの人物を紹介され、私は彼を道知事や経済産業局長などに紹介しながら、彼を通して初めてビッグ・エイトというものと触れる機会を得ました。

その時、ニューヨークからやって来た松尾清公認会計士は、現在、ＳＡＴＯ社会保険労務士法人の顧問となっています。彼は私のビジネスの歴史の中で、その後も重要な役割を果たします。

それから9年後の１９９７年、私が40代の初めだった頃、松尾氏はまだニューヨークにいました。私は彼に、米国で「アウトソーシング」と呼ばれるジャンルの企業を視察させてほしいと依頼しました。今から20年以上前、当時の日本には「アウトソーシング」という言葉はありませんでした。私はいつか、彼から聞いた話から、その言葉を知っていたのだろうと思います。

世界最大の給与計算会社ＡＤＰ社（写真はオランダ・ロッテルダム、2018年）
Dafinchi / Shutterstock.com

ニューヨークには当時、私の事務所のコンサルティングをしていたコンサルタント2名のほかに、現在、日本最大の給与計算アウトソーシング会社となっている株式会社ペイロール社長の湯浅哲哉氏など、数名を連れ立って視察に行きました。

その時、私たちは、ニュージャージー州に本社があったＡＤＰ社（Automatic Data Processing, Inc.）という世界最大の給与計算会社を視察します。そして帰国後、湯浅氏はそれまでメインで行っていた記帳代行事業を売却し、その資金で新たに給与計算事業を立ち上げ、現在は国内最大の給与計算会社に成長させています。

私も視察の1年後、札幌に株式会社エコミックを設立し、給与計算事業を開始しました。エコミックはそれから9年後に、給与計算会社として日本で最初に札幌証券取引所アンビシャス市場に上場してい

給与計算会社の株式会社エコミックは、2006年札幌証券取引所アンビシャス市場に上場

ます。

給与計算は士業に隣接する仕事で、当時も多くの会計事務所や社労士事務所でサービスが提供されていました。しかし、私は視察から、給与計算は士業の「傍ら」で行うビジネスではないということをはっきりと理解しました。

ＡＤＰ社は、すでに給与計算ビジネスで巨大なグローバル企業として存在していました。もちろんブルーカラーは毎週、ホワイトカラーは月2回の給与支給で小切手による支払いがされるなど、ビジネスモデルは異なりましたが、私たちは、給与計算がそれ単体でビジネスになるという確信を持って日本に帰りました。

それで私はそれまでの士業から給与計算を切り離し、ビジネスを「企業化」しました。湯浅氏はそれまでやっていた仕事を売却し、私は別法人を立ち上げ、ビジネスモデルを確立し、資本なども投入していきました。それが事業の成功につながるとともに、日本の給与計算ＢＰＯの発展と成長を先導することもできたのです」

③視察：見て触れて、理解する

「ニューヨークの松尾公認会計士と出会って以来、私は海外に行くたびに彼にお願いして、監査法人の視察を重ねています。視察先の監査法人は日本を始め、ニューヨーク、香港、上海など。その当時でも、どこも職員は千人以上いたと思います。これはもちろん、当時の自分の事務所とは比較にならない規模です。それでも私たちは、この組織の観察を続け、これから自分たちが事務所を拡大させていく際のロールモデルとして、20年以上も頭や体にイメージを刻み込んできました。

視察では、監査法人の組織制度、従業員のホスピタリティ、代表者の機能、役員の選任方法や営業手法などを観察し、そこから多くのことを学びました。例えば、ニューヨークの事務所は、ニューヨーク・ヤンキースの年間シートを保有していて、クライアントの希望によって席を手配してくれ

1988年、北海道庁にて撮影。写真左が松尾清氏。中央左が佐藤氏

るのです。現地で会いたい要人や訪問したい企業も依頼すればアテンドしてもらえました。監査法人では、そうしたことは顧客へのサービスとして、あるいは組織の機能として、当然に行われていました。聞かれたことしか教えない、というような日本国内の士業とは異なり、それらはすでに確立されたサービスとして普通に行われていたのです。

米国の監査法人では、そうした懐（ふところ）の深いサービスが行われていました。こうしたことによって、私たちのサービスも、行政書士や社労士事務所としてのものだけではなく、このようなさまざまな機能を持たなければならないと理解するようになるのです」

④ベンチマーク：同業者の頂（いただき）から

『ビッグ・エイト』から始まる、一連の監査法人をロールモデルとした航海の話は、一旦ここで終えよう。ビジネスの成長の局面には、多くの場合に、後にあれがそうだったのだと分かる出会いがある。ロールモデルもそれと同様だ。後から思えば、あれをロールモデルとしたのだと理解するものも多い。ロールモデルはいくつあってもいい。重要なことは、目で見て、体感し、イメージすることなのだ。

業界内にもロールモデルとするべきものはある。それはどちらかと言えば、ロールモデルというよりもベンチマークと言う方が正しいものかもしれない。

行政書士として開業した佐藤氏は、当時、東京中の名の通った行政書士事務所を見てまわっている。もちろん、その事務所で話を聞かせてもらうとか、事務所の中を見学させてもらうなどといったことが、全ての事務所でできるわけではなかった。それでも、どのような事務所が世の中にあるのか、あるいはどのような仕組みでビジネスをしているのか、それらを知ろうとしたのだろう。風営法を専門にしている事務所、宅建業専門の事務所、自動車免許に特化して大型化している事務所などを見てまわったという。

その中で、もっとも組織化された事務所と感じたのは、建設業を専門にするオータ事務所（現オータ事務所グループ、東京都新宿区）だった。建設会社の設立支援をし、建設業の営業許可申請を行う。オータ事務所はこうしたビジネスモデルで拡大していた。

当初30～40人規模だった事務所は、東京都庁の移転に伴って新宿に移った頃（１９９１年）には、１００人以上の規模になっていたという。建設業の開業率が圧倒的に高いという時代背景もあった。それで、佐藤氏は自身の行政書士事務所の事業領域を建設業に定めた。

「創業者の太田宏先生の元には、毎年のようにお伺いさせていただきました。とはいえ、特別に懇意にしていたわけではなく、いつもこちらから押しかけるような形でお邪魔していました。ですから、直接、何かを教わったということではありません。太田先生は現在、すでに事務所をご長男とその奥様に委ね、引退されていますが、それでもオータ事務所はずっと私のロールモデルです。私が、オータ事務所を超えるサービス、組織を作っていこうと、勝手に目標にしていただけなのですが…」

と佐藤氏は振り返る。

当時と反対に同業者のロールモデルと言える存在になっているＳＡＴＯグループでは現在、頻繁

同業者の視察を受け入れ、説明を行う佐藤氏の様子

に同業者を集めて、昼食会や事務所視察会を開催している。

「私は開業当初から同業ばかりではなく、たくさんの他士業の事務所を訪ね、多くの学びを得てきました。そして今もなお同じ気持ちで、士業の皆さんとの情報交換を続けています」

それらの場から、いまだ佐藤氏自身が学ぶことも多いという。それに業界の固定化した観念や、誤った考え方を再確認する機会にもなっているという――。これはきっと、「やらない、やれない理由が共通して挙がることや、高価格・高付加価値の業務を多くの士業が最上の仕事と考えること、低価格な仕事や儲かりそうもない仕事から忌避すること、営業と経営という言葉に対する嫌悪感情、それから独占資格者であるにもかかわらず、使命感や公共心などに薄い」などのことを言っているだろう。

ＳＡＴＯグループの成長の裏には、一冊の書籍、ＡＤＰ社、監査法人、業界ナンバーワン事務所という複数のロールモデルがあった。

しかし、たとえこれらがＳＡＴＯグループの手本となったものだとしても、それらのものに、具体的にその後のＳＡＴＯグループのビジネスの成長を決定付けるような、何かがあったわけではない。ロールモデルの足跡をなぞって進むような形で成長してきたわけではないのだ。監査法人にしても、事務所が数十名の規模のときに、数千人の事務所を見学してどれほど得るものがあるだろうか。

だから、重要なのはロールモデルとするものの選定やその優劣にあるのではない。必要なことは、ロールモデルから何を得るのか、何を得ようとするかだ。

「このビジネスでどこまで成長できるか、何ができるか、何をするべきか。そうしたことを現実のロールモデルに触れて、感じることが重要です」と、佐藤氏も話している。

「人間は、目標をイメージできなければ絶対に達成することはできません。そして目標となるものを、現実に自分の目で見なければイメージすることもできません。ですから、実際に見ることが非常に重要なのです。それも自分だけが見るのではなく職員にも同じものを見せなければ、職員の心も身体も動きません。経営は、見えないが故に、会う、見る、触る、話すと言うことが重要なのだと思います」

師に学ぶ

ここまでのものはビジネスにおける、ＳＡＴＯグループのロールモデルの例である。この他に、経営者個人としてのロールモデルも、事業の成長において重要なファクターとなる。それについて問うと、佐藤氏は迷うことなく、３氏の名前を挙げた。一人目は「松下幸之助」、二人目は「土屋公三」、三人目は「似鳥昭雄」。

初めに挙げた松下幸之助は、20代の頃にその著書を読みあさり、経営に対する考え方や経営者としてあるべき姿、行動規律などを倣ったのだという。一日4時間睡眠、テレビを見ない、人に誘われないなど、開業時に佐藤氏が締結した「自分との契約」は、松下幸之助の本からヒントを得ている。

土屋公三氏は、東証二部上場の土屋ホールディングス株式会社の創業者である。知り合ったのは佐藤氏が29歳の時。同氏からは公私における目標設定と自己啓発について、そのプログラムの方法とコントロールの仕方を学んだという。佐藤氏は２０１８年1月まで同社の社外役員を１５年務め

佐藤氏が社外役員在任時の 2007 年に、ニトリが台湾高雄市に国外第 1 号店を出店。
同店を似鳥昭雄氏と視察（写真右は、佐藤氏の夫人・佳寿子氏）

ている。

似鳥昭雄氏は、時価総額2兆円を超える株式会社ニトリの創業者。同じ札幌出身であり、「天才」と佐藤氏は評する。その経営手法の核となるものは、要諦を見極め、何より困難な道にためらいなく挑戦する点にあるという。そうした考え方や判断の基準を、佐藤氏は似鳥氏から多く取り入れている。佐藤氏は約6年間、ニトリの社外役員を務めている。

「ニトリではより高品質なものを低価格でお客様に提供するために、例えばインドネシアやベトナムで土地を買い、工場を建て、現地スタッフに家具の作り方を教え、材料を世界中から集めてきて、自社の製品を作っています。作った製品は船に乗せて日本へ運び、各地の配送センターに分配し、店舗に納品していく。製造小売業（ＳＰＡ）として、これらの多くの工程を自前で行っています。それにより画期的な品質・価格を実現しています。

これに対し、社労士が就業規則を作成する際の相場は20万円前後となっていますが、私はそれにそれほどの価値があるものだろうかと疑念を抱いています。ニトリなら20万円もあれば、独身者が生活できる一通りの家具をそろえることができるでしょう。サービスが提供されるまでのプロセスを見れば、ニトリが行っていることの方が私たちよりもはるかに高度で複雑なものです。士業で原価と言えるものは紙代だけであり、為替や原材料の調達リスクもなく、我々は健全な価格競争をしていないのかもしれません。

私はニトリから学んだことを実践しようと考え、国内に限らず、海外にもファクトリーを作り、人材を海外から集めるなど、顧客本来のニーズに合った料金やサービスを実現するための努力を続けています。このようにロールモデルから学んだことから、さまざまなアウトプットを生み出しています。

私は、自分のロールモデルとした二人の先輩経営者から学ばなければならないことがあまりに多く、話を聞く機会があれば積極的に参加し、できるだけ身近にいられるように心掛けました。幸いにもお二方から社外役員に迎え入れられ、経営の実態を含めて、深く学ぶことができたと思います」

ライバルの存在

経営の歴史に登場するさまざまな登場人物には、それぞれの役回りがある。物語を大きく動かしていくキーパーソンもいれば、一人の経営者として大きな影響を受けた「師匠」のような存在もいる。あるいはビジネス上の商売敵や得意先、従業員なども主要な登場人物となっていく。

ほかにも、この物語を盛り上げる、忘れてはならない主要な登場人物がいる。それが、「ライバル」だ。ビジネスの競争相手としてのほか、身近な目標としても、ライバルの存在は成長には欠かせないものだろう。

「私の親友の中に、非常に優秀な2人の経営者がいます。私がこれまで前進し続けることができたのは、きれいに言うならば使命感を創り出せる力があったからですが、現実にはこの友人たちの存在が大きかったと思います。

彼らと対等にい続けるためには、彼らに負けずに仕事をしなければならない。彼もまだ仕事をしているだろうから、自分ももう1時間、もう1件、頑張ろうなどと、若い時は、夜中に仕事をしながら思うこともありました。私の30代から40代には、そうした負けたくない友人、自分の行動の基準となるような存在がまわりにたくさんおり、それが自分の行動へのけん制機能となっていました」

ライバル、あるいはロールモデルとなる存在。佐藤氏の場合は、そうした相手を自ら見つけ、ライバルやロールモデルと設定していたところもあるかもしれない。

若干の背景を説明しておこう。現在、グループ総勢で1400名を超えるSATOグループであっても、一歩業界を離れれば、その存在は決して大きなものではない。いや、これは、筆者がそう思うものではなく、佐藤氏自身がそう考えているのだ。

佐藤氏は自らを「業界を離れたら、取るに足らない経営者」だと表現する。佐藤氏がそう感じるのは、30代の頃から現在まで、切磋琢磨してきた前述の二人の友人の存在がある。

その一人は、調剤薬局とドラッグストアなどを全国に展開する、アインファーマシーズの大谷喜一氏（株式会社アインホールディングス代表取締役社長）。もう一人は株式会社ジャパンケアサービスを創業し、日本で初めて介護ビジネスで上場を果たした対馬徳昭氏。同氏は現在、札幌に日本医療大学を設立し、理事長となっている。

「知り合ったのは30代前半。若い頃は、お互いに助け合ってきましたし、今でも家族ぐるみでお付き合いしています。経営者同士ですから、30代の頃は、誰にも相談できないような悩みを共有しながら、毎日のように打合せやら相談をしていました。何かあったときに助けてくれる外部ブレーン――互いにそういう存在でした。

しかし経営では、私がいくら努力してもこの二人にはかないません。彼らがいる限り、私はいつまで経っても事業の達成感を得られないのだろうと思います。加えて、私にはまだまだやらなければならない課題ややりたいテーマがあるので、この仕事を通じて経営者としての達成感を味わうことはできないのではないかとも思っています」

飽くなき欲求が、そこにはあるのだろう。

今から10年近く前に筆者が、税理士法人山田&パートナーズを中核とする山田グループ会長の山田淳一郎氏に初めて対面したとき、「なぜ数百名しかいないのに、〝大きな事務所〟などと言われるのだろうね?」と、山田氏が、私に向かって語り始めたことを思い出す。当時、すでに数百名規模だった山田グループは、現在1900名を超える大所帯となっている。そのとき山田氏の話を聞いて、「だから、山田グループは大きくなったのだ」と一人合点がいったものだ。

税理士法人を中心に総勢1800名超の体制を誇る、辻・本郷グループ会長の本郷孔洋氏に、若き日のライバルやロールモデルについて尋ねると、「やはり若い頃は、辻先生をはじめとして諸先輩方を追いかけていました。TKCのグループの事務所など、全国の大きな事務所にはおおよそ話を聞きに行っています。当時、私がどんな気持ちだったのか、今はもう風化して忘れてしまいましたが、やはり何かを参考にしよう、学び取ろうと思って、見学に行っていたのだと思います。

多くの事務所を見学して思ったのは、結局、会計事務所は先生次第だということ。だから先生が歳を取るとお客様も古くなっていくんですね。それでお客様もスタッフも離れてしまうから、自分はそうならないようにと思って、組織を大きくしてきた面もあります。10年経つと「あの人は今?」になってしまいますからね(苦笑)。

私は、今でもそれほど規模が大きくなったとは思っていません。いつも言っていることですが、この程度ではうちだって明日どうなるかわからないと思っています」とユーモアを交えて話している。

目標、戦略、商品、サービス、品質、企業化、専門性、組織――。士業事務所の成長を取り巻く要因にはさまざまなものがあるが、ライバルの存在やそれに負けたくないという感情——そうした人間くさい感情や情熱こそが、事務所の在り方そのものを決定付けるのだろう。それは三氏が三様に口をそろえているのだから、きっと確かなことだろう。

4章　顧客獲得のシナリオ

顧客を集める「シナリオライター」

①紹介はリトマス紙

「先日、弊事務所に数名の行政書士が視察に見えました。開業年数の短い方が多かったので、参加者からは『どうやってお客様を獲得してきたのですか？』という趣旨の質問が多く挙がりました。その時に私が話したのは、自分が開業した頃に行っていたことでした。

士業では、営業経験を持たずに起業するケースが多いと思います。経験も人脈もなく事業を開始した士業ができることと言えば、それまでの知人や友人に開業の挨拶を行うことと、経営者の集まる交流会などに参加することに限られます。そして、そうした活動が一回りすると、打ち手もなくなり、これといった成果も上がっていない状況に危機感を募らせるようになるでしょう」

現在ではネット集客などを筆頭に、士業においても様々な営業手法がある。しかし、２０００年代前半までは、士業の広告活動は基本的に許されておらず、報酬規定により価格は統制され、これらの規制が緩和されるまでは営業活動としてできることが、今より限られていた。

そうした時代と現在では隔世の感がありながらも、士業の営業手法の中で「王道」と言えるところは「そう変わっていない」と佐藤氏は話す。

確かにセミナー、相談会、勉強会といった活動は、士業の集客活動で利用され続けており、それは今も昔も変わりはない。それらに現在はＷｅｂ集客が加わり、営業活動に少しだけお金がかかるようになってきている。

顧客を獲得するための「手段」は変わっても、顧客を増やしていくための『原則』は変わっていないというのが、佐藤氏の論だ。

その原則とは、「顧客からの紹介」を増やすというものである。そして、顧客からの紹介が発生しているかどうかが、営業活動および顧客サービスが適切に行われていることを見定めるリトマス紙になると言う。

「たとえ今の時代に営業手法として古くなったとしても、顧客に気に入っていただき、信頼を受け、そこから新しい顧客を紹介していただきながら顧客を増やしていくということが、営業活動の原則であることに変わりはありません。顧客にそうした対応ができなければ、顧客から見れば誰に仕事を頼んでも同じですから、あとは価格などの条件面だけで比較されてしまいます。

そうなれば、時間の経過の中で顧客は増えていくものの、それに比例して離れていくお客様も多くなり、結果、顧客数が思うように蓄積していかないという状況になっていくでしょう。

ですから、まずは、顧客に顧客を紹介していただくまでの方法論を確立する必要があると思います」

②「仕事が欲しい」

佐藤氏が独立開業したのは23歳の時のこと。それ以前までは小樽商科大学の学生だった。だから、特別な人脈があったわけではなく、文字通り徒手空拳で開業している。

「開業した時、私には一人しか顧客はいませんでした。その一人も顧客というより、頼りにできる面倒見の良い方と言った方がよいような存在の方でした。札幌市内でも北の外れにある、小さな建売の不動産会社の社長です。私は学生の時に、行政書士の仕事を覚えるために司法書士事務所でアルバイトをしていました。その不動産会社は、その時のお客様でした。

私は開業してすぐに、その社長に一つの頼みを聞いていただきました。その内容は、毎日、朝から夕方まで不動産会社に居させていただくこと。それから、会社に出入りする業者の方を私に紹介してほしいというものでした」


そうやって、開業したばかりの頃、佐藤氏は朝から夕方まで、その不動産会社に常駐し、軒先を借りて営業していたそうだ。そして建築や建売の打合せのために出入りする、たくさんの業者の紹介を次々と受けていった。もちろん、それだけで仕事が得られるわけではない。不動産会社の場では挨拶を交わすまで。その場で名刺交換をしてアポイントを取り、会社へ訪問し話をする機会を得ていくのだ。


紹介を得るまでのプロセスの重要性は、司法書士で開業し、現在は士業以外も含めたワンストップサービスを展開する、ベストファームグループの斉藤浩一氏が2015年に話していた。これは、新卒スタッフが営業を行うことに触れたときの話だ。

「新卒の営業ですから特別に営業力があるわけではありません。だからやってきたことは、徹底して「紹介をお願いする」ということです。

紹介をいただくために行ったのはヒアリング。例えば既存のお客様とお会いしたとき、新卒では何を話していいか分からない。だから、聞き取ることを明確にして、1時間でも2時間でも話を聞く。紹介元のお客様に対しても同じことです。聞き取りシートを作ったりしながら、ヒアリングを徹底して行うようにしました。

こうした活動と、これまでに増やしてきたお客様のベースもあり、月5、6件の安定した受託ができるようになってきました」（注12）

紹介の獲得、特にB to Bでの紹介においては、いくつかのポイントがある。ひとつは、経営者の中には人を紹介することを好むタイプとそうではないタイプがおり、前者の経営者を見つけることが重要だということ。さらにその前にもっと重要なポイントがあって、まずは多くの経営者と会う機会を作らなければならないということが挙げられる。中小企業で決定権があるのは経営者だけである。だから、経営者以外の人物にいくら会ったとしても、仕事につながる確率は極めて低い。佐藤氏が張り付いた不動産会社は小規模なものだったため、業者の会社も同様に小規模なところが多く、多くの経営者が出入りしていたという。

佐藤氏の話を続ける。

「アポを取った会社を訪ねてから、ようやく営業が始まります。行政書士の仕事の説明や自分の

若かりし日の佐藤氏（30歳のころ）

こと——開業したばかりで仕事がないということ、経験もないなどということを話しつつ、もっとも力を入れて説明したのは、自分が『訪問主義』であるということでした」

訪問主義とは、あたかも御用聞きのようにお客様の声がかかれば、お客様の元へ訪問するという営業スタイルのことである。当時の士業事務所で、客先を訪問するスタイルの事務所は皆無に等しく、仕事があれば、顧客の方から事務所に足を運び、手続きを依頼するというのが一般的だった。だからこそ、「訪問する」というサービスは画期的であり、歓迎をもって迎えられた。

「若い時は、若いということ自体が最大の武器です。そればかりではなく、私は開業したばかりで仕事がないということ、知識もそう多くはないということも合わせて武器にしました。経験も知識もない、でも時間はある。だから一生懸命やりますから面倒を見てください。一声かけていただければいつでも訪問します。必要なものがあればすぐに届けに行きます。最初は住民票1枚でも、登記簿謄本1枚の仕事でもいいのです。とにかく使ってください。そう言いながら、知り合う経営者の人数を増やしていきました。

そうやって頭を下げて回ることで、一件一件の仕事だけではなく、次々と紹介もいただけるようになっていったのです」

他社の軒先を借りて営業したり、訪問主義を打ち出すということは、現代にはマッチしないかもしれないが、原則は今も変わることはない。

③主演を引き立てる「名演出家」は誰か？

経営者へのアポを獲得するまでのシナリオと、後半のクライマックスとなる面談シーンのシナリオをどのように描くのか。その筋書きによって、この顧客獲得までの物語は喜劇にも悲劇にも変わるだろう。さらにこの物語を引き立てるのは、ほかでもない主演の立ち居振る舞いと、演出の腕前による。

「顧客に気に入っていただくために、どのような自分を演じるかが重要です。自己演出は、一人で仕事を始める士業のような業種が持ちうる唯一の武器です。我々士業は目に見える商品を持たず、どの事務所も同じです。その上、開業当初は商品もなければ組織もなく、ブランドもありません。売り物は自分しかありませんので、いかに自分を演出し、どのような商品として見せていくのかを考えることは、必要不可欠なことだと思います」

世の経営者というものは、フットワークが良く、自分の言うことを聞いてくれそうな相手を好む。士業に依頼する仕事がどこに頼んでも同じものであるからこそ、そこでどのような自分（事務所）を演出できるかによって成否は分かれていく。そして、お客様一人一人と相対するときに、こうした原理が働いていることは、永遠に変わることはないだろう。

佐藤氏は、北の外れの一軒の小さな不動産会社から始まるストーリーに、演出の魔法をかけることで、さらに顧客を増やしていった。

「紹介者を見つける、多くの経営者と会う。まずは経営者と出会うための努力をしなければ、顧客が増えていくことはありません。さらに、どれだけ多くの経営者と会っていても、その機会をモノにすることができなければ顧客は増えません。だからこそ少しでもその確率を高めるために、必勝パターンを組み立てる必要があるのです。

それは、その時の自分の売り物が何であり、どうやって相手に気に入られ、どのように次のアポイントを取るかというストーリーと演出で練り上げていきます。もちろんそれを演じるのは自分です。

こうしたことをきちんとやっていけば、あっという間に顧客が増え、紹介者となる方も増えていきます。そして、こうした時期はあっという間に過ぎていくはずです」

多くの士業は開業した時に、経営者のいる交流会に行く。しかし、交流会でたくさんの経営者と名刺交換をしても、ビジネスにつながる確率は極めて低いだろう。それを知ってそうした会合から足を遠ざけていくことになるのだが、そのことをもって「経営者と会う努力をした」とは言えない。

そこでの違いは、「紹介者」がいるかどうかだと佐藤氏は指摘する。冒頭の不動産会社では、社長や専務から「うちでも使っていて重宝している行政書士を紹介するから、良ければ付き合ってやってくれよ」という一声が入る。その言葉が一つあるだけで、アポが必ず取れる状況が生まれるのだ。

違いはたったこれだけしかないが、それだけで、確率は格段に上がるのだ。

もう一つのポイントは、面談時において自分が他の事務所とは違うということを一発で理解させる仕掛けを用意すること。

例えば、現・みつ葉グループ（取材当時は司法書士法人オフィスワングループ）の島田雄左氏は、まだ開業2年目に過ぎなかった２０１４年の取材で、事務所の差別化のポイントとしてスピードと提案力を挙げていた。

「ただ『登記をください』と頭を下げに行くだけではダメなので、どうすれば既存の事務所との違いを出せるのかを考えました。私は、スピードが最大の付加価値だと思っています。納期はもちろんですが、その他にもスピードという点で差をつけられる部分は多くあります。そこで、いつもの先生よりこちらの仕事の方が早いとなれば喜ばれますし、次からは必然的に声をかけてくれるようになります」

「それから、相手のお手伝いをさせてもらう提案をします。私の基本的なスタンスは、提案営業です。例えば、どうしたら相手の担当者様の残業を減らせるかというような、相手の業務に踏み込んだ提案をしています」（注13）。

佐藤氏の開業時の場合は、「たった1枚の登記簿謄本、住民票でも取ってきて届ける」というのがそれに当たる。これを伝えることで、佐藤氏のサービスのスタンス、質がどのようなものかが手に取るように分かる。だからこそ、高い確率で仕事が舞い込んでくるのだ。

「現在は、多くの事務所が様々な工夫をしていますから、私がやっていたような必勝の営業手法を確立することは難しくなっていると思います。それでも経営者に会う、アポを取る、違いを見せる、仕事をいただく、別の顧客を紹介していただく。こうした筋立てをしっかりと考え、実行している人はほとんどいないと思います。それを行えるかどうか。つまり実際は、物語が始まる前から勝負が付いているのです」

④誤った選択と、誘惑の甘い罠

こうした、紹介客を一件一件獲得していくような営業スタイルを、名画座で上演されるモノクロームの作品を見ているように感じる方もいるかもしれない。現実に、今の顧客はそもそも紹介を望んでおらず、自分に必要なものはインターネットから探すことができるし、比較もできれば、サービスの情報も山ほど持っている。

しかし、たとえそうだとしても、いったん自事務所の顧客となった相手と相対してから勝ち取るべきものは変わっていないだろう。いつでも相談できる、どんなことでも相談できる、対応が早い、気心が知れている、何かと気にかけてくれる…。そうした顧客のニーズを満たすサービスを、あなたの事務所がどこまで提供できているだろうか？　そうした考えが組織の隅々にまで行きわたっているだろうか？

紹介を獲得していくことは、士業事務所の成長において不変の原則であり、サービスを他の人に紹介したくなるほどまで高めていこうとする努力を原理として、事務所の成長は約束される。そのことは、ホームページやインターネットで獲得した顧客であっても同じである。

佐藤氏は、紹介を獲得するにあたって、もう一つしなければならないことがあると付け加えている。

「いくら紹介が好きな経営者がいても、こちらが黙っていて紹介をいただけるわけではありません。私の場合、親しくなったお客様には、例えば、社内で目に留まった会社を名指しして『この会社を紹介してくれませんか？』とお願いします。私は今でも、同様のことをしています。それが今も昔も、私の『決め台詞』になっています」

目の前の相手から紹介が発生するのか、しないのか。「紹介してください」と一声かけて、決着を付けていくようなことを繰り返す。そうした「決闘」のようなことを一件一件続けながら、佐藤氏は事務所の土台を築いてきた。同氏が「地上戦」と呼ぶこうした営業活動は、開業から今に至るまで続けられてきた。

フクダリーガルコントラクツ&サービシス司法書士法人でも、同様のことを話していた。代表の福田龍介氏は、

「開業当初に新規開拓した際は、何らかの取引で会った相手方の会社に挨拶に行ったりしていました。司法書士は、一般的に買主側から依頼を受けて仕事をするのですが、相手方である売主側の不動産会社に営業に行くのです。既に一度、一緒に仕事をして、こちらの仕事ぶりを見ていただいているので、挨拶に行きやすいですよね。そんなことをする司法書士は珍しいので結構喜んでいただけて、仕事につながることも多いのです。

こうした営業は、今でも弊事務所の伝統になっています。例えば、金融機関から不動産会社に融資をする際に、その融資を受けた先の不動産会社にも営業に行くのです。そうやって新規のお客様が増えていきます」

「やはり「仕事が欲しい」という姿勢を常にお客様に見せていないと、仕事はいただけません。だから、「仕事を下さい」と言い続けることが必要です」(注14)

こうやって「地上戦」を展開していき、戦線が拡大されてくると、ある問題が生じてくるように

なるはずだ。顧客が増えることによって、絶対的に不足してくるものがあるからだ。

「営業活動に、自分の時間をどのように割り振っていくか。今度はそれが大きな課題になっていきます。経営者としての自分の時間の使い方の選択を、戦略的に行っていない方は多いと思います。例えば私は、昼食と夕食を合わせた年間６００食の会食が可能な時間を、新しく知り合った６００人と共にし、食事をし、会話をして、信頼関係を築いていくために使っています。これまでの顧客とはすでに信頼関係が築かれていますから、これから使う時間は将来の顧客を作るために使うべきです。こうした時間の使い方を間違えれば、当然に顧客獲得ペースが落ちていくでしょう」

もう一つ、多くの士業に道を誤らせる『誘惑の甘い罠』があるとも話す。

「士業の仕事より儲かりそうに見えるビジネスは、世の中に山ほどあります。顧客と一緒に事務所が成長していく中で、顧客から『新しい事業を始めるから手伝ってくれないか？』などと声を掛けられる機会も増えていきます。私も、そうした誘惑とずっと戦い続けてきました」

多くの事務所が選択を間違えていると佐藤氏が指摘するのは、ほとんどの事務所が、ある時から本業と隣接する事業を展開していくようになることだ。このとき特に多いのは他士業の展開。こうした選択は、成長スピードにかげりが見えてきた本業を、他の事業とのシナジーで補っていこうという考えの下に行われることが多い。

「私もこれまで、自分の資格やビジネスに対して閉塞感を感じることは何度もありました。税理士の方が職域は広く、弁護士の方が生産性は高い。資格の『格』の上下は、やればやるほど感じるようになります。異業種では、景気の良い時の金融業や不動産業などは羽振りがよく見えます。

私の周りにも行政書士を辞めて、異業種に転向した人間がたくさんいます。それはそれでよいと思います。しかし、自分が決めた仕事で成功したいのならば、やり抜くことが必要だと思います。

少なくとも私の扱っている2つの士業においては、『顧客から何屋であるかがわかりやすいこと』が必要であり、そのために『本業をはっきりさせること』が重要になってきます。それを徹底することによって、成長スピードは上がるのです。

多くの方は、ここで選択を間違えます。二足のわらじを履き、一人の顧客にあれもこれも売ろうとします。例えば、我々が紹介された相手に、本業の商品ではなく、生命保険を売ろうとすれば、以降の紹介はピタリと止まってしまうでしょう。そのくらい経営者は用心深いものです。

私の20代、30代にはずっとそうした誘惑があり、葛藤してきましたが、私はこらえることができました。それは、私は経営者と一緒に前を向いて仕事のできる、社労士や行政書士の仕事が好きだったからです。だから、本業に徹することができました。言い換えれば、私が不器用だったと言えるかもしれませんが（苦笑）。それでも専業し続けられたことは、幸いでした」

佐藤氏、３７歳のとき。北海道行政書士会の行政書士法制定４０周年祈念式典にて。第一号社員の山鹿時子氏（写真）が勤続表彰されている

佐藤氏においても、当初の思惑と異なってしまったものや、期待する成果をあげられずに頓挫したビジネスはいくつもある。20代から30代にかけて精力的に取り組んだ風俗営業許可申請のほか、車庫証明や自動車登録申請にも挑戦した。あるいは税理士の分野に近い経理記帳などにも取り組んだ時期があるという。その全てが順調に発展したわけではなく、そのときの事務所の規模、組織体制、人材の有無などの諸条件によって、辞める仕事と継続する仕事をセレ

クトしながら、今日のグループの形を作ってきた。佐藤氏は、むしろうまくいかなかったことばかりだと自嘲する。

それでも佐藤氏は「若いときは多くのことに挑戦してみればよい」と話す。SATOグループでも多くの試行錯誤を繰り返してきた。どこにどんな仕事があるのかは分からない。時間のあるうちに、トライアンドエラーを繰り返すことで上手くいく仕事と、いけない仕事の判断ができるようになる。

そうした選択が正しかったのか、正しくなかったのかは別にして、経験値をベースにしながら、自分が歩んでいく道を選んでいく。経営者も多くの失敗を糧に成長していくのだ。

新マーケットの顔役

①海外進出

ＳＡＴＯグループは９年前に中国・上海にオフィスを出した。

上海への進出の際にその責任者となったのは、佐藤氏の夫人であった。所内での人選が難航する中、社外にいながら身近にいた夫人に白羽の矢が立った。夫人は北海道大学でＭＢＡ（経営幹部向けの経営学修士）を取得。経営に通じ語学も堪能で、後に北京大学でもＥＭＢＡ（Executive MBA）を取得するなど、まさにうってつけの人材だった。上海では中国語も覚え、独自の人脈を構築していった。しかしその結果、「始めの1年間」という約束はずるずると伸びていき、結局上海に7年間住んでから、２年前に夫人は東京に戻ってきた。

ＳＡＴＯグループ内で、後釜の責任者として派遣する人材を育てることができなかったのだ――。

SATO グループの上海事務所

「上海事務所の立ち上げで学んだことは、海外拠点を一人で立ち上げて、現地の法律を学び、語学に通じるような人材は、日本でなら十分に幹部が務まる人材だということです。所内にそうした人材が余るほどいる訳ではありませんし、その人材が海外赴任を希望するとも限りません。

組織として人材を送り出すことができなければ、海外拠点を継続し、拡大させていくことはできません。今の日本人の精神性や能力水準から考えても、現実として士業レベルでは、海外に派遣する人材を継続的に育成し供給していくことは大変困難であるということが分かりました。

もうひとつ分かったことは、アジアではどの大都市にも日本への留学経験のある現地人材が豊富にいるということです。彼らは日本語が達者で、現地の弁護士資格を持っているような優秀な人材です。その上、現地の人脈も豊富にあります。そうした人材の方が、日本から進出している私たちよりも能力が高く、コストも低い。

現地の日系企業のマネージャーが自社のバックオフィス業務対応を外部に依頼する場合、どちらを選ぶかは明らかです」

佐藤氏からすれば、いまだ海外拠点を一つしか作れていないことに、忸怩（じくじ）たる思いがあるだろう。

「私たちの顧客の中にも、海外に進出しようとしている企業は多くあり、またすでに進出している企業も多くあります。ところが、私たちはこれらの顧客に対して、現地におけるバックオフィス機能を提供できずにいます。その中で私たちができることと言えば、せいぜい顧客が海外に進出していくときに、自分たちの経験談を話すことくらいです。

本来なら自ら海外拠点を増やして、例えばアジアならどこに行ってもＳＡＴＯグループにバックオフィス機能を任せられるような状況にしたかったのですが、そうはなっていません。こうした状況は、国内の会計事務所や法律事務所を見ても同じような状況です。日本企業の海外進出を支援する十分な機能を、国内の士業が持っていないのが現実です」

上海での経験を教訓に、戦略を切り替え、２０１９年2月にＳＡＴＯグループは、トライコー・ジャパン（Tricor Japan）と日本企業の海外進出支援を行う目的で、戦略的業務提携を締結した。事業提携は、ＳＡＴＯグループの営業戦略の要だ。

ＳＡＴＯグループの中核でもあるＳＡＴＯ社会保険労務士法人には、現在８５０名あまりのスタッフが在籍している。しかし、その中で英語が話せ、かつ社労士業務のできる人材となると、ほぼいないのが現状だ。

それでもＳＡＴＯグループには、多くの外資系企業の顧客がある。それは、顧客の労務部門に日本人マネージャーがいるからだ。

ＳＡＴＯグループが受注できる先は、日本人マネージャーがいるような規模の大きな外資系企業に限られている。一方で、日本への進出を考えている、あるいは進出直後の外資系企業の場合、日本人マネージャーが社内にいることは皆無に近い。だから、このマーケットにはＳＡＴＯグループでも手を出せずにいる。それは他の事務所においても同じ状況だ。

顧客が海外進出するときに、自事務所で直接支援ができなくても、ネットワークがあれば機能を紹介できる。ネットワークを構築しなければ、いつまで経っても顧客が海外進出する際にサポートができないままになる。

そうした問題意識を持っていた佐藤氏が実際に本社の香港まで足を運び、そこで提供されているサービスをその目で確かめた上で選んだのが、トライコーだった。

トライコー・ジャパンには、英語の話せるスタッフが多数いて、日本の税務・労務・法務を行う機能がある。世界21カ国47拠点に展開し、シンガポール、香港、マレーシアなど、アジア全域をカバーしている。アジア経済圏にあるBPOプロバイダ（BPOとは、ビジネス・プロセス・アウトソーシングのこと）としては、もっとも大きなグループである。

トライコーの各拠点では、現地の人材がサービスを提供している。それは日本拠点であるトライコー・ジャパンにおいても同様であり、各国の法律にローカライズされた対応ができる体制になっている。さらにトライコー・ジャパンがユニークなのは、同社の６００社（連載当時）に及ぶ顧客リストの中に、日本企業の名前が見当たらないことにある。それはトライコー・ジャパンの顧客のほとんどが外資系企業であり、多くの外資系企業が実際に日本進出にあたり、トライコー・ジャパンを選んでいることからもその理由がわかる。そしてこのマーケットには、トライコー・ジャパン以外の有力なプレイヤーは見当たらない。

現在は、進出直後からの支援はトライコーが行い、その後に成長した企業の支援をＳＡＴＯグループが行うというマーケットの住み分けになっている。

②独占業務と業態を掛け合わせて

トライコー・ジャパンの前身となる会社（２００７年創業）が、トライコー・グループに参画してから、わずか8年にすぎない（連載当時）。その間に、トライコー・ジャパンは、税理士、社労士、行政書士などをグループ化していき、現在は単体で２００名（連載当時）を超えるグループに成長している。

注目すべき点は、これまでの士業とは異なるマーケットへの切り込み方で、大きな成長カーブを描いていることにある。ここに我々は、士業の成長法則が変化していることを見い出さなければならないだろう。

佐藤氏は、トライコーを一例として挙げながら、以下のようなことを話している。

「私たちが創業した頃と、現在の士業を取り巻くマーケットの状況は大きく異なっています。ですから私は、今の士業が創業期にどのように成長していけばいいのか、その在り方のようなことを論じることはできません。

しかし今から創業していく人達は、先行事務所との競争を勝ち抜いていかなければなりません。そして、まだ誰も成功していないからこそ、ビジネスの成功パターンは見えにくくなっています。

そうした意味で、トライコーのビジネスの切り口は、これからの士業ビジネスの本質を突いているものではないかと、私は思っています」

トライコーのビジネスを簡略に記号化すれば、「マーケットは、外資系企業」「コミュニケーションは、英語」。この2点に絞れるだろう。この2つの差別化要素で、短期間でマーケットを席捲し、一挙に組織を成長させてきた。同じようなマーケットへの切り込み方をしている事務所もいくつか出てきている。創業から相続専門で事務所を成長させている税理士法人チェスター(東京都中央区)や、国際資産税のマーケットを独占する税理士法人ネイチャー国際資産税（東京都千代田区）、刑事事件を席けんするアトム法律事務所弁護士法人（東京都千代田区）などが挙げられる。

新規のマーケットを開拓したトライコーが今回、そのベクトルをひっくりかえして、別のマーケットの開拓に打って出ようというのが「日本企業の海外進出」支援である。

昨年9月にトライコー・ジャパンの新ＣＥＯに就任した佐藤スコット氏は、その戦略についての詳細をセミナー内で披露した。

「私たちは、アジアの動きの中で、大きく2つのチャンスがあると判断しました。ひとつは、中国企業がアジアに進出していくときの巨大なポテンシャルです。

もう一つは、多くの日本企業がアジアの様々な地域に進出していくようになっている中で、日本企業と欧米をはじめとするグローバル企業の動きに大きなギャップがあることです。

トライコー・ジャパンの顧客構成は、米国企業が65％弱、ヨーロッパの企業が35％弱、残りはアジアの企業になっています。欧米系の企業がトライコーを選んでいる理由は、ただひとつです。それは、進出先の法人のガバナンス。トライコーでは、そうした進出企業のニーズに応えるサービスを提供しています。こうした欧米企業の進出手法と日本企業が海外進出する際の手法にギャップがあり、それが少しずつ認知されるようになってきています」

日本の企業が海外に進出するときは、現地責任者任せとなるケースが多く、そのため現地法人の運営状況はブラックボックスになりがちだ。しかし、欧米企業ではそうしたことは一切ない。営業責任者と管理責任者の権限を分離しているからだ。営業責任者が現地に派遣されマーケットの開拓を行う一方で、管理責任者は本拠地に身を置き、管理を行う。そうしたケースが多い。現地で、現地法人の経営者を雇う際も同様に、管理機能は任せないケースが多い。

こうした時に管理機能をトライコーに委託することで、現地法人のガバナンスやコンプライアンスを、一人の自然人に集中させない仕組みを構築しているのだ。そしてこうしたガバナンス方式が、グローバル企業のスタンダードになってきている。

早晩に日本企業もこうした手法を取り入れるようになり、そこに新しいマーケットが生まれて、拡大していくだろうというのがトライコーの読みだ。

トライコー・ジャパンの切り口の目新しさは、外資系企業というターゲットや進出支援という分野にあるのではない。何が新しいのかと言えば、何よりマーケットインの発想にあるだろう。長く業務独占であり続け、マーケティング的発想が不要だった士業にとって、マーケットの変化や顧客の新しいニーズをくみ取り、それを材料としてビジネスを組み立てることは苦手とする領域のままだ。

独占業務の競争力とサービスの提供方法（業態）を組み合わせることで生まれる「新しいマーケット」。それを開拓していく力こそが、今後の士業に必要とされるものではないだろうか。

③士業が本来、果たすべき機能

「言語の問題はありますが、こうしたサービスを国内で、本来提供するべきは日本の会計事務所だろうと思います。しかし、多くの会計事務所は、こうしたものを自分たちの仕事ではないと考えています。ですから外資系企業のニーズを、トライコーが集めているのです。

日本企業が海外進出する際も本来は士業が同じような機能を提供しなければなりませんが、現在、海外でこのようなスキームを提供できるのは、四大監査法人系の税理士法人だけです。

ですから、コストの面でそうした税理士法人を利用できない中堅・中小企業は、従来通りのやり方で責任者を現地に派遣し、およそマネジメント経験のない営業やエンジニア上がりの責任者が、現地で右往左往しながら失敗を重ねています。そうした構造になっているのです。

私たち士業は、常に新しいサービスや方法論を学び、それを顧客に提案・助言していかなければなりません。そうしたことができなければ、本来の役目を果たしているとは言えないと思います。

日本の中堅、中小企業が海外に進出しにくくなっている理由のひとつは、私たち士業が進出を支援する機能を持っていないからです。また、すでに海外進出している企業も、バックオフィス機能について様々な悩みを抱えています。これらの問題が解決していれば、日本企業のグローバル化はもっと進んでいたと思いますし、現状のような日本企業がグローバル化に立ち遅れている状況は、私たち士業の努力不足が招いた結果だと思っています。

少なくとも私はそのように認識していますので、今回トライコーと手を結びました。私たちだけではなく、多くの士業事務所に顧客の海外進出を支援できる機能を持っていただきたいと思っています」

佐藤氏が言う「士業が本来、果たすべき機能」が求められているマーケットは、海外進出支援だけではないだろう。事業承継や外国人労働者の問題など、ほかにも多数が挙げられる。

こうしたマーケットにどのような問題意識を持ち、どのようなプロセスで、本来果たすべき機能を達成していくべきか――？

ここに「士業の企業化」と「勝者のメンタリティ」の本質が隠されているのではないかと思うのだ。

顧客の内奥への通路

グループ内に上場している人材紹介会社や給与計算会社があるとはいえ、いまでもＳＡＴＯグループを〝士業事務所〟と呼んでも間違いではない。ＳＡＴＯグループのビジネスの中心軸には、士業が据えられているからである。広がる事業領域について、佐藤氏は以下のように語る。

「新しいマーケットは常にたくさん生まれていきます。例えばAirbnbのホストの民泊法上の届け出の仕事は、ＳＡＴＯ行政書士法人が代行することになりました。そうなるように人脈を創り、マーケティングをして、ビジネスに結び付けていけば、事業は広がっていくのです。

現在の私が行っていることは、製造業の研究開発と同じです。世の中の潜在的なニーズを感じ取り、それを満たす商品を作り、マーケットに提供する。自らが情報を戦略的に集める仕組みを持っていなければ、そもそも未来への戦略は作れません。ですが、多くの士業は、未来のマーケットがどこにあるかということに興味を持つことはありません。どこにどのような人脈を作るべきなのかもわかっていない。

自分の業界も大切ですが、そうではない人たちといかに議論を深めていくか。人脈ができればできるほど、誰とでも会えるようになります。もちろん相手に認めてもらわなければならないけれど、自分に可能性があると感じてもらえれば誰にでも紹介してくれます。それによって質の高い情報が集まり、新しいマーケットを創ることができるのです。やはり基本は人脈だと思います」

ＳＡＴＯグループの業務内容が、今日ではきわめて多様化しているにもかかわらず、依然として、労働保険や社会保険の手続き業務は、いまなおＳＡＴＯグループの基盤となっている。手続き業務は活動の核であり、最大の収入源である。彼らが最高の力を発揮するのも手続き業務においてである。特に大企業の手続き業務はＳＡＴＯ社労士法人の独壇場であり、競争相手のいない独占市場となりつつある。

ＳＡＴＯグループでは実に４００社を超える大企業の手続き代行を行っている。こうした会社の業務をアウトソースされて受け切れるほどの規模をもつ社労士事務所は彼らをおいてなく、したがって、強い競争力を有している。

たとえば、日本マクドナルドの仕事では、十数万人もの従業員の手続きを代行する。大多数の社労士事務所は、ＳＡＴＯグループの仕事のほんの一部を引き受けるだけの規模すら持ち合わせていない。しかし、ＳＡＴＯグループにとっては、日本マクドナルドは数百とある大企業の顧客のひとつにすぎないのである。

大企業向けの代行業務では、大量業務を処理するための人員、体制とともに、膨大な量の個人情報を取り扱うための堅牢なセキュリティシステムを必要とする。それは一般の大企業と同レベルの水準のものが要求されるのである。つまり、それだけの設備投資を行っていくだけの体力と戦略構築が必要になる。

さらにＳＡＴＯグループで驚かされるのは、間口の広さだけではない。その内奥も極めて深いのである。たとえば、ＳＡＴＯグループの労働保険事務組合は、他の社労士事務所と同様に中小零細企業向けの労務代行業務を中心にしているが、中小企業の顧客数は５０００件を超え、毎年新規に３００件の顧客が増えていく。これは同業界のものさしで言えば、一年で一つずつ、中堅どころの社労士事務所が作られていくようなスケールなのである。

顧問先企業を担当するスタッフが、顧問先企業から腹心の友人として、かつ相談相手として信頼され、何でも相談される相手になれば、彼は顧客の内奥に深くかかわり合うことができる。これは事務所の「在り方」に関して、士業の誰もが常に考えの中心に置いている事項だ。士業ビジネスの、「核心」とも言える議題に等しい。

ＳＡＴＯグループでは、この点をどのように考えているのか。

「私のその点についての定義は、『どの事務所も皆親切で、皆早い』です。事務所の職員なら80点の仕事ができれば良いと思うかもしれませんが、経営者ならもっとお客さんに喜んでもらいたいとか、次はもっと早く対応しようとか、もう一本電話を入れようなどと思うものだと思います。少なくても私は、そう思って仕事をしています。

しかし、私たちの事務所は、私ではなく職員がお客様の担当をしているため、職員が私以上の仕事をしなければなりません。そうでなければ、士業の先生が個人で仕事をしている事務所に、勝てないからです。

ですからもっと商品や提供する価値を明確にしなければなりません。親切さや仕事のスピードの違いで仕事をいただけるわけではないのです。

私が提供する価値について定義しているのは、『お客様が困った時に頭に浮かぶ相手が誰か？』ということです。そうした業務以上の活動をしてくれるかもしれないという私たちへの『期待』。

これが企業経営者の安心に繋がるのだと思います。この安心を提供することが、士業のサービスなのだと思います」

相手が経営者なら、困りごとの例えは、資金繰りや事業の行き詰まりが代表的だろう。法律事務所で離婚や相続の相談に乗るときも同様だ。困ったその時に、実際にそうするかどうかは別にして、夜中の22時でも23時でも駆けつけよう、相談に乗ろうという職員が所内に何人いるだろうか。

もちろん、実際にそんなケースは多くはない。だから期待でいい。あの人なら、あの事務所なら、きっと——。そう相手に思わせることができるかどうか、そうした違いが他事務所との違いを生み出していくのだ。

他事務所との違いについては、他の事務所でも様々に定義され、それぞれの個性を表している。大阪を拠点にするトリプルグッド税理士法人の実島誠氏は、２０１３年の取材において、「開業当初から、『売上を上げるコンサルをする』というビジョンを明確に掲げてきました。当時は、会計事務所のコンサルはＭＡＳ監査（経営計画を中心としたもの）が中心でした。会計事務所ビジネスだけで十分儲かっていた時代だったので我々のような面倒なことはどこの事務所もやっていませんでした。

一方で、私は事務作業や事務代行には付加価値がないと思っています。それらはお客様ができることだからです。パートでできる仕事ならば、パートの時給以下の価格で提供しなければ付加価値はありません。お客様ができないこと、分からないことをするから、専門家に付加価値があるのです。ですから私は記帳代行をしないと決め、コンサルティングを事業ドメインの核としました」

と話している（注15）。

徳島県に本社を置く税理士法人アクシスの川人洋一氏は２０１７年の取材で、これからの事務所のあり方について、

「会計業界は大艦巨砲主義で、これからは経営計画やコンサルだと言いますが、零細企業には、そうしたものより、優秀な娘、息子のような存在が必要なのではないかと思います。だから弊事務所の方向性は、お客様にとって娘、息子のように話ができる存在になることです。彼らの行っていることを代わりにできる存在になれば良いと思っています」と語っている（注16）。

「組織とはリーダーの個性そのものです」

と話してくれたのは、栃木県那須塩原市に本社を置き、北関東から東北一帯に拠点を広げる社会保険労務士法人ＴＭＣの岡部正治氏だ（注17）。

それぞれが、それぞれの事務所のアイデンティティを、それぞれの言葉で表現している。

ＳＡＴＯグループには、『お客様からの信頼とは何か』といった定義もある。これは、お客様か

ら信頼いただいているかどうかは、お客様が他のお客様を紹介してくれたかどうかで決まるというものだ。

それは決して、お客様に「信頼している」という言葉をもらうことではなく、顧客アンケートにマルを付けてもらうことでもない。この会社を紹介してもらえませんか？と言って、実際に紹介してもらえるのなら、それが動かざる信頼の証となる。

「そのために何をしなければならないか。手続きを決められた通りにやるだけでは、お客様の信頼は勝ち取れません。提案をする、時間をいとわず対応する、報告をする、連絡をする、電話をする。こうした単純で基本的な行動を実行するだけでよいと思います。そうした基本行動のバリューが高いのだということを、徹底的に職員には教えています。こうした行動が積み上がり、一定のラインを超えることによって、信頼は勝ち取ることができるのです。

経営では、困りごとが年中起きます。従業員との関係、妻や家族との関係、取引先、資金の問題など、年がら年中、困りごとを抱えた経営者に対して、『本当に困った時には助けてくれるだろう』と期待していただけるかどうか。そうした期待を抱かせる行動を職員ができるようになること。

ですから、必要なのは『信頼の定義』と『教育』と『気持ち』です。士業というのはやはり信頼のビジネスなのだと思います」

このSATOグループの「信頼」についての定義は、士業の仕事の奥の深さを示しているという点で興味深い。閉め切った薄暗い事務所で、申請書類に囲まれて仕事をしているという堅苦しく、殺風景な士業のイメージはそこにはない。士業事務所が行う仕事の中には、手続きの領域をはるかに超えた〝熱い何か〟が含まれているのである。

Promise
私たちの約束 - 行動基本原則

目標
社員は、自由競争で勝ち抜いていくために、常に目標を設定し、その目標達成のために努力を惜しまないことを約束します。

主体
社員は、主体性を持ち「自ら考え、自ら行動し、自ら責任を負って」仕事をすることを約束します。

判断
社員は、Sato Groupの一員として、自分の行動や判断が及ぼす影響を常に考え、時間、行動、対応、事業成果に対し、責任ある判断をすることを約束します。

Growth
成長し続けるために必要なこと

挑戦 Venture
変革 Change
創造 Create
執念 Obsession
洞察 Insight
誇り Pride

Stance
私たちの取り組み姿勢

組織主義
私たちは、社員個々の力を結集した「組織の力」でビジネスに取り組みます。

肯定主義
私たちは、全ての問いかけに「YESと答える肯定姿勢」でビジネスに取り組みます。

行考主義
私たちは「やりながら考え、考えながらやる行考姿勢」でビジネスに取り組みます。

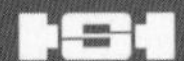

SATO グループのスローガン

5章　士業ビジネスの未来

業務独占が消える日

今だって心もとないものだが、初めて佐藤氏にインタビューをしたとき、私は氏の話の半分も理解できず、予定された取材が終わらずに途方に暮れたことがある。

インタビューは、佐藤氏の経営者として行っている「習慣」を紹介するものだったが、なぜ、そのようなことをするのか、なぜ、そのような考え方をするのかが私には理解できず、繰り返される私のつまらぬ質問に対して佐藤氏も辟易（へきえき）した様子だった。

そのとき私は、佐藤氏が士業経営の前提とする「士業の業務独占が撤廃される」という考えを理解できずにいた。佐藤氏は、業務独占が崩壊するというその日から逆算しながら、必要になるサービスレベル、競争力、組織力を築き上げてきており、それにより自身の習慣や行動を律していた。そうしたことが、私には分からずにいたのだった。

佐藤氏がそのように、業務独占がなくなることを前提にして、事務所づくりを始めたのは、最近のことではない。

話は1988年、今から30年以上も前にさかのぼる。場所は、香港。当時、佐藤氏は37歳。その前年に人材紹介事業を行うキャリアバンクを設立し、東京、横浜、郡山、仙台、秋田に支店を展開したのち、香港に同社の現地法人を設立し、海外展開を始めている。

当時、国内はバブル経済の真っ只中にあり、銀行や証券会社が積極的に海外へ進出していた。アジアではその当時、金融の中心だった香港へ進出していく。キャリアバンクの香港法人では、そうした日系金融機関の現地クラーク（事務員）を紹介する人材紹介業を行うかたわらで、士業の分野では香港へ赴任してくる日本人に対して労働ビザ（日本では就労ビザに当たる）の申請や更新手続きの代行を行っていた。

佐藤氏は、当時のことをこう振り返る。

「香港では、たくさんの驚きがありました。例えば、現地の士業の報酬に対する考え方です。私は当初、知人に紹介された香港在住の日本人会計士に、現地法人の税務関係の仕事を依頼しました。相談の報酬はタイムチャージ制で、レートは1時間5万円という非常に高額なものでした。

驚いたのは、彼の自宅に招かれそこで過ごした時間もすべてチャージされていたこと。彼は実にムダ話の多い男で、ゴルフの話をしていた20分についても2万円近くの請求がありました。もちろん意図してそうしているわけで、現地ではこれが当たり前ですから彼の方がうわ手なのですが、この経験で私は、士業にもさまざまなビジネスのやり方があるということを知りました。

また、香港で会社を設立する場合は、すでに設立されている会社を株式譲渡して商号変更することになります。こうした手続きは、監査法人や個人の会計士に依頼することもできますが、ある日、現地の新聞を開いて驚いたのは、会社設立のサービス広告がずらっと紙面に並んでいたことでした。

香港では、会社設立は士業と関係なく、誰でも行うことができます。私はこのとき、自由競争マーケットの何たるかを知るとともに、日本もいつかこうした市場になるだろうと思いました」

香港には、日本における税理士や司法書士、社労士といったものと同様の資格はなく、弁護士と会計士の領域以外は、自由競争のマーケットになっている。

キャリアバンクの香港法人で行っていた労働ビザの申請手続きも、日本では行政書士しかできない仕事だが、香港では誰でも行うことができる。だから香港でのビジネスの競争相手には、監査法人から地元の有限公司、あるいは街角で個人ビジネスを行う人たちまで、多様な顔ぶれが並ぶ。

一方のクライアントには、確実にビザの取得や更新をしたいという人もいれば、できるだけ安く済ませたいという人もいる。彼らはサービスの質と料金を天秤にかけながら、業務を依頼するパートナーを選んでいく。そこには、特定のサービスは特定の人たちの中から選ばなければならないといった不自由さはない。ボトルのキャップを回して水を飲むのか、蛇口をひねって飲むのかは、自分で選ぶことができるのだ。

「その後、私は香港だけではなく、アメリカや中国など世界中のマーケットを見てまわりました。それぞれの国にどのようなプレイヤーがいて、どのようにマーケットを支配しているのか――。そのパワーバランスはそれぞれ異なっていましたが、そうでありながらも自由競争の上でマーケットが作られていることは共通していました。

そうした状況を見て、日本もグローバル化が進めば進むほど、自由競争に向かっていくようになるだろうと考えるようになりました」

これが、現在まで続く、佐藤氏の士業ビジネスに対する考え方の出発点となっている。

見えない未来、果てのない努力

士業の業務独占がなくなるという考えは、各種手続きの電子化などが進む今でこそ広がっているものの、当時は、佐藤氏個人の仮説の域に過ぎないものだったはずだ。だからこそ、そうしたわずかな動きも予兆もないときから、見えない未来に向かって、佐藤氏が着々と準備を行ってきたことに驚きを感じてしまう。こうしたことは、方向も輪郭も定まらない標的に向かって、小石を投じて積み上げていくような作業だろう。

「業務独占が撤廃される日が、いつになるか。それは誰にも分かりません。そもそも、そうはならないのかもしれません。それでも私は『いつかそうなる』と考えました。そして、その考えを私の中だけに留めず、職員にも話し、事務所全体で「その日」に向けて準備をしてきました。

２０００年代の前半には、業務独占制度の撤廃より先に、報酬規定と広告規制が撤廃され、法人制度がスタートしています。私は業務独占の撤廃と同時に、これらについてもいつか撤廃されるものだと考えていました。

私自身は外資からの圧力によって、こうした法改正がなされると考えていましたが、現実には公正取引委員会の指摘によってこの法改正がなされることになりました。

つまり、いつ、どのように実現するか分からないという中で――そうした果てのない状況においても、拠点のリーダーとなりうる人材を育成し、投資を行えるだけの経営体力を付け、利益を確保しようとしてきたのです。そして、そうした準備があったからこそ、法人化が可能となった時にためらわずに東京に進出して、大きな成果を得ることができたと思っています」

しかし実際に士業による業務独占がなくなった後の世界は、どうなるのだろうか。主に社労士のマーケットである企業のバックオフィス業務を例に、将来の競争相手として佐藤氏が目しているプレイヤーを挙げていこう。

まず、すでに現在も同様の業務を行っている事業会社に、シェアードサービス会社がある。大手企業ではシェアードサービス会社を設立し、グループ各社の給与計算や労務管理周辺の業務を集約して行っている。当然、十分な組織も資本もある。現在は、独占業務の問題もあり、グループ会社内だけにサービスの提供先がとどまっているにすぎない。

次に挙げられるのは人材派遣会社。人材派遣会社には、給与計算や社労士業務に熟練した多数の人材が登録されている。そして現在でも、そうした人材が適宜、さまざまな会社に派遣されて、実務を執り行っている。サービスを提供する主体としては、営業力、資本力、人材レベルの面において、士業よりも人材派遣会社が持っているリソースの方が強いだろう。

コールセンター会社も、有力な競争相手となる。すでに大手コールセンター各社では、既存クライアントに対するバックオフィス業務の提供をサービスラインナップに加えている。これは人材派遣ではなく、業務請負として提供されるサービスだ。

ほかにも、監査法人系士業グループの動きが活発化している。大手監査法人系の税理士法人はすでに大規模化しており、次の一手としてグループ内に弁護士法人や社労士法人、行政書士法人を立ち上げ始めた。業務独占制度がなければ、彼らは海外で提供しているのと同じように、各士業のサービスを合わせたスキームで、一気にビジネスを拡大することができるだろう。同じような動きは、大手法律事務所にも見受けられる。法律事務所のグループ法人として、税理士法人や社労士法人、行政書士法人を設立し、内製化していく動きが加速している。

四大弁護士法人の一角、森・濱田松本法律事務所が10名超の税理士登録者を有してＭＨＭ税理士事務所を設立したのは、２０１５年11月。その翌年に行った取材で同事務所の大石篤史氏は、ＭＨ

Mの強みについて、

「もともと法律事務所でも税務は提供していましたが、税理士は一名しかおらず、タックス・プランニングを中心としていました。ただ、特に外資系のクライアントなどから、税務申告まで含めてワンストップでサポートしてほしいという声を多くいただいていました。

外資系企業が子会社を設立して日本へ進出する際に、税務申告は重要なファクターのひとつです。そうしたニーズに応えられる受け皿として、税理士事務所を立ち上げようと考えました」

「私たちは、当然ながら、税務アドバイスだけでなく、法務アドバイスも提供しますので、ここまでは法律事務所の世界で、ここからは税理士事務所などと区別して考えることはありません。そういう線引きをしないで済むのが我々の強みだと思っています」

と話している（注18）。

このように今現在でも、実際にそれぞれの士業と競合している相手がいる。こうした地力のあるプレイヤーたちが、本気になってマーケットを狙い、核心をついたサービスを革新的な料金で提供するようになったとき、はたして現在の士業事務所は生き残れるのだろうか――。少なくとも、資格が有るというだけでは、マーケットが士業を選ぶ理由にはならないだろう。

未来は見えている

自動車業界では、古くから自動車の自動運転や電気自動車など、これから進んでいく未来のベクトルは見えやすいものだったはずだ。にもかかわらず、これらの未来を実現していこうという主役の座は、十分な資本もノウハウも時間もあったはずの自動車メーカーではなく、Googleやテスラといった企業に奪われている。

士業にも同様にマネーフォワードや、freee、SmartHRなどに代表される新しいテクノロジーが出現し、それまで士業が自分たちだけが知識やノウハウを持つ領域だと考えてきたサービスが、異業種のプレイヤーの手によって実現されている。

士業がもっとも熟知していた分野で、本来なら自らの手で起こさなければならなかったはずのイノベーションが、士業とは別のプレイヤーの手によって生まれている。

「そうした動きは業務独占の撤廃とは異なるものですが、それでも私たち士業の競争相手やマーケットの環境が、大きく変化していることに変わりはありません。

私たち士業が、今まで通りのやり方で、今まで通りのビジネスを組み立てていくことが、このままできると考えることはできないと思います。今までとまったく異なるテクノロジーやパワーバランスによって、既存の業界が再構築されていく。そうした動きが、今までにない速いスピードで進行しています。

それでも、Google の自動運転の技術が、自動車がなければ成立しないのと同様に、いくら新しいテクノロジーがあっても、既存のプレイヤーと肩を組まなければビジネスは進んでいきません。ですから私たちもたえず新しいテクノロジーと連携しながら、新しいマーケティングのスキームを組み立てていくことが求められています。

新しいテクノロジーとどのように組んでいくか。

未来は、テクノロジーを持っている側にも、私たちにもよく見えていません。その中で、未来を切り拓いていくことは、今後の士業事務所のマーケティングにおいて、重要な主題になっていくと考えています」

断っておきたいのは、こうした電子化の流れの延長線上で、業務独占の撤廃が実現するとは、佐藤氏も考えていないということだ。

災いは、目に見えている脅威の陰に隠れてやってくる。

佐藤氏は、士業の業法以外の既存の法律が変わることで業務独占体制が侵食され、切り崩されていくのではないかと考えている。そして、実際にそうした動きはある。

例えば自動車の登録手続き。もともと行政書士の大口の顧客だった自動車メーカーの販売代理店。今や電子申請手続の新車新規登録手続等きは、すでに総務省令で自販連（一般社団法人日本自動車販売協会連合会）などが手続き業務を行えるようになっている。ほかにも外国人の技能実習制度では、技能実習生の監理団体がビザ取得手続きをできるようになっており、日本語学校においても自校に入学する留学生に限って、報酬を得てビザ申請ができるようになっている。

こうやって本来、士業しかできないはずだった独占分野の仕事が少しずつ喪失しているのは事実だ。

「すでに、業務独占に事実上の風穴を開ける法律が生まれています。業務独占の撤廃については、多くの士業がそうなるわけがないと今でも思っているかもしれませんが、着々とその時期は迫っています。

私が士業として際立った経験をしたと思うことは、ひとつは香港や上海など海外で士業の領域のビジネスを行ったこと。もうひとつは、士業の枠組みとは別のビジネスを始め、そして2つの会社を上場まで育てあげたことです。

これらの経験の中で、私は資本主義と自由競争の洗礼を受け、そしてそれによって、経営の原理原則を学ぶことができました。

マーケットは競争によって形づくられていきます。それがビジネスの原理原則ならば、士業もその例外ではありません。今後は、グローバルの競争がそうした動きを加速させていくと思います。

士業は永く競争のない、無風に近いマーケットの中にいました。ですから、一般企業のビジネスから見れば、士業の経営はアブノーマルな状況の中で行われています。士業にはまだまだ隠れたカルテルが存在し、価格設定はもちろん、他の事務所の顧客に積極的に営業を行うなどの行為は品のないものだと位置付けられています。しかし、こうしたことはビジネスの原理原則に適ったものではありません。

原理原則に従えば、本来は、そうした健全な競争の上にマーケットは築き上げられていくのです」

原理原則に従い、それを徹底する。この徹底のほどが――あるいはそれを実行力と表現してもよいかもしれないが――佐藤氏の経営の真骨頂であり、SATOグループが士業ビジネスにおいて際立った成功を収めている理由になっていることは、間違いないだろう。

本稿の副題である「企業化する士業」とは、士業もビジネスの原理原則に従うべきだということを表している。そして「勝者のメンタリティ」とは、原理原則の徹底をどれだけできるかという本稿からの問いかけである。

「士業に競争を持ち込むことが、士業の質の低下を招く」と考える士業資格者は多い。しかし、いくらそう叫んでみても、肝心の士業のサービスが――つまり士業の競争力が、ほかに見劣りするようになれば、どうなるだろうか？

業界に古くからある声に耳を傾けるか、ビジネスの原理原則に従うか。その判断はすでに委ねられた。士業に与えられた独占業務を巡る物語の「主役」は、やはり士業でしかない。

あとがき　私と「佐藤さん」

株式会社ペイロール（※）代表取締役社長　湯浅哲哉氏
※国内最大規模の給与計算アウトソーシング会社

佐藤さんと初めてお会いしたのは、今から25年以上も前のことになります。その頃、私は記帳代行会社を営んでいました。事業が急成長した後に伸び悩んでいたころで、ある方のご紹介でお会いさせていただき、それからすぐに会食などにお招きいただくようになりました。その頃からずっと、佐藤さんから多くのアドバイスをいただいています。

お会いしてから数年後に、「〝アウトソーシング〟というものが、ニューヨークで流行っているみたいだから、見に行こうよ」とお誘いをいただきました。その頃はまだ「アウトソーシング」という言葉が日本にはありませんでした。その視察で私は、現在の給与計算アウトソーシング事業と出会いました。

世界最大の給与計算会社であるＡＤＰ社(Automatic Data Processing, Inc)のデータ処理センターがニュージャージーにあり、私たちはそこへ視察に行きました。当時は「データ処理センター」という概念さえもありませんでした。

ＡＤＰでは、膨大な数の企業の給与計算を引き受けており、小切手を印刷し、従業員への給与の支払いまでを代行していました。もし、その処理が滞るようなら、米国経済が何日も動かなくなるだろうというスケールのものです。電気や水道のように社会インフラとしてサービスが提供されており、日本で士業事務所が行っていた給与計算とはまるで別物のサービスでした。私はそれを見た瞬間に、日本で同じサービスを提供したいと思いました。

同じことを佐藤さんも考えました。それで私たちは日本に戻ってきてすぐに、給与計算アウトソーシングを日本のインフラビジネスに育てあげようと取り組み始めます。私はこの新しい事業を始めるために、記帳代行事業を別の企業に譲渡して、給与計算アウトソーシングに事業を移しました。

事業開始にあたってビジネスのノウハウを得るために、何度もアメリカに渡ってＡＤＰと交渉を行いました。その間もずっと佐藤さんに支援していただきました。

「交渉」と言っても、その頃はまだまだ小さな会社でしたから、どうやってアプローチしていけば彼らが振り向いてくるか。佐藤さんと一緒になって戦略を立てました。交渉の席では、佐藤さんと、佐藤さんに紹介していただいたデロイトトーマツの先生方が、弊社を盛り立ててくれました。一年半ほど続いた商談が破談になるまで、佐藤さんには多くのバックアップをしていただきました（※編集注　その後、2002年にペイロール社にADP社が資本参加している）。

佐藤さんのビジネスは、ゴール設定が決まると最短距離を選んで進んでいきます。そのビジネスを組み立てる力には、いつも驚かされます。さらに、ゴールを設定するまでの情報収集力にも、独自のものがあります。

私は直接関わってはいませんが、中国人留学生を日本の国内企業に紹介するビジネスでは、留学生を労働力として企業に紹介するだけではなく、学生たちが日本でどのような仕事に就いて何を学び、どのような能力を身につけて、中国に戻った時にどのようなキャリアプランを描けるのか、といったところまで考えて、ビジネスを組み立てていました。そうしたストーリーが全て、佐藤さんの頭の中にあるのです。その、視野の広さや思慮の深さには驚かされました。

それに、自分で動かれて収集した生の情報ばかりなので、お話を聞いているだけでも非常に勉強になります。情報を集めて、組み立てて、ゴール設定をしたら、最短距離でそこにたどり着く。そうした手腕は、とても真似ができません。

佐藤さんとは、今も2か月に1度くらいの頻度でお会いしています。そうした時はビジネスの話もしますが、それは商談というようなものではなく、もっぱら私の相談に乗ってもらうような場になっています。サッカーなどのスポーツ観戦にお誘いいただくこともあります。そうした席には、ほかにも様々な方がいらっしゃっており、新しい出会いの機会をいただけます。佐藤さんは、いつも素晴らしい方を紹介してくれます。

現在、ペイロールは北海道江別市にデータ処理センターを設置しており、パート社員も含めて1000人以上の方に働いていただいています。ここを紹介していただいたのも、佐藤さんでした。私がセンターの開設を検討していたときに、江別市の市長をご紹介していただきました。センター設置が決まるまで、市との話し合いを重ねましたが、その時も佐藤さんが、市長と私の間に立って、双方のメリットが最大化するように話を進めていただきました。結果、市から誘致をしていただき、10年が経った現在まで、市と良好な関係を築いています。このセンターは、現在のペイロールの成功を支える要因の一つになっています。

佐藤さんと私は、「SATOグループとペイロール」という会社の関係で言えば、太いパイプでつながりあい、互いに切磋琢磨しあうビジネスパートナーだと言えます。

しかし、「佐藤さんと湯浅」という個人の関係は、そうしたものではありません。佐藤さんは年齢もすこし上なのですが、それこそ兄弟や親族のように、困ったことが起きたときはすぐに頭に浮かぶような、頼りになる存在です。

私が相談した時は、いつも自分の損得やビジネスなどとは関係なく、的確で明確な答えをいただきます。相談を受け流されたり、はぐらかされたりということもありません。時には耳に痛いようなことも言われます。「その選択は間違ってるよ」というような指摘は、これまで何度も言われていますが、いつもありがたく拝聴しています。

そうした存在ですから、逆にビジネスめいた話はしにくい相手です。

実際にSATOグループとペイロールは長くアライアンスを組んでおり、お互いにお客様をご紹介しあっている関係にありますが、これは私からお願いしたわけでも、佐藤さんから依頼されているわけでもありません。この事業を始めたころからずっとご一緒していて、互いに自然と「最大のアライアンスパートナー」という存在になっているのです。

佐藤さんとはいつも、給与計算アウトソーシングや労務の手続き業務などの労務業界の中で、私たちがどのようにビジネスを進めていけば日本のためになるかとか、日本の企業のために何をすべきかなどを語り合っています。

佐藤さんは本当にアグレッシブで、新しいことにもどんどん挑戦しますし、ＩＴなどの情報についても貪欲です。私はもともと情報システム畑の人間なので、最近は、そうしたことについて、佐藤さんから意見を求められる機会も増えました。ですから、近ごろは少しだけ、情報交換という感じで一緒に食事できるようになってきたかなと感じています。

お会いしてから四半世紀が過ぎようとしていますが、私にとって「佐藤さん」は、こうしたとても大きな存在です。

あとがき　私の見てきた、「代表」

SATO社会保険労務士法人　札幌ファクトリー部長　山鹿時子氏

私は勤続43年、グループの第一号社員です。佐藤代表と私は同い歳で、学年は代表が一年先輩です。23歳の時に入社し、そこから長い歳月の中で、多くのことを代表に教えてもらいました。

入社当時から、代表はほとんど事務所にいませんでした。お客様がまだ多くはなかったので、一日中外回りをしていました。私はと言うと、事務所に来て、代表が夜のうちに作っておいた指示書みたいなものを見ながら、コツコツと書類を作成していました。それが終わったら書類を机の上に置いて帰るか、当時、勉強会をやっていましたので、参加者にお茶を出して帰るといった毎日でした。

その頃に、代表は「5年経ったらビルを建てようね」と言っていました。私が「何階建てですか?」と口を挟むと、「2階建てだって、ビルと名付ければビルでしょ(笑)」と、たわいもない話をしていたんです。でも、5年が過ぎて、本当に8階建てのビルが建ったときには驚きました。

多くの方に、代表って厳しいでしょ？と言われます。でも、私は厳しいとか恐いと感じたことは一度もありません。もちろん若い時は、いっぱい雷を落とされていますが、そう感じることはありませんでした。

入社から半年くらい経ったとき、労働保険の計算で、大きなミスをしたときの話です。山ほどの書類を明日までに、すべて検算し直す必要がありました。代表は、戻ってくると何も言わずに一緒に検算してくれました。日付が変わる前に修正が終わると、「遅くなったから、これで帰りなさい」と言って、タクシー代を出してくれました。私は感謝の想いで、車中で泣きながら帰りました。

私は事務員で採用されましたが、28歳の時から、外回りを担当することになりました。その時に、「自分のファンをどれだけ作れるか。そういうつもりで外に出てごらん」と、声をかけてもらったことをよく覚えています。

やっぱりこの仕事って、続ければ続けるほど自分が成長していくことが感じられますので、それが何よりのやりがいです。たくさんの人と出会い、さまざまな人の話を聞く。真面目にやっていれば、お客様がお客様を紹介してくれます。そこからまた、多くの人を紹介していただけます。私もやればやるほど、仕事が面白くなっていき、仕事を好きになっていきました。だから43年間、つらいと思うことがあっても、一度も辞めたいと思ったことはありませんでした。

これは、代表が敷いたレールなんですね。お客様から信頼されること、頼りにされること。そこに仕事の喜びがあるということ。報酬をいただいているのにもかかわらず、ありがとうと言っていただき、自分の成長も感じられる。こんな良い仕事はないと感じています。

代表はどんなに大きな経営判断をしたときでも、必ずそれを職員に説明し、状況を共有していきます。「今度この仕事を引き受けるけど、こうなっていくから、みんなはこういう風に動かなければいけないよ」という風にかみ砕いて説明してくれます。

こうやって経営がオープンになっていますので、私たちは分からないなりにも、ビジネスの仕組みや仕事の本質を理解しながら、成長していくことができているのではないかと思います。それも、代表の情報の共有をベースにした社員教育のおかげだと思います。

今は、そうした話のスケールが、どんどんステップアップしています。仕事や事務所の成長と拡大にともなって、代表自身も歳とともに経営者としても人としても、以前より懐（ふところ）が深くなっているような感じがします。

だから付いていくのも大変で、私は心の中で、「代表、私たちを置いていかないで」といつも思っているのです。

著者あとがき　「不断の努力の人」

本書は、私が編集人を務める「FIVE STAR MAGAZINE」誌で、２０１８年７月号から２０２０年１月号まで連載した原稿を再編集したものである。

奥付の紹介文にもあるとおり、ＳＡＴＯグループは、全国一位の規模の社会保険労務士法人、全国三位の規模の行政書士法人を抱え、他にグループ内に２つの上場会社を有する、巨大士業グループである。

連載を終えてから数か月と立たないうちにも、クラウド会計ソフトのfreeeとの提携（２０２０年２月）や、パーソルグループとの提携（２０２０年５月）が日経紙面を飾るなど、ＳＡＴＯグループの動きは加速している。その間、４月28日には札幌証券取引所アンビシャス市場に上場しているエコミック（給与計算会社）が、東京証券取引所ジャスダック市場に上場している（両市場に重複上場）。

新型コロナ対策関連においても、打ち手は早い。４月に東京と札幌に雇用調整助成金の申請代行を行う「ＳＡＴＯ助成金センター」を設立。これは、大手人材派遣会社のパーソルテンプスタッフや貸会議室のティーケーピーとともに、複数の大手会計事務所と連携したスキームで提供されるサービスであり、このフレームワークの構築は、佐藤氏以外になしえないものだ。コロナの逆風下においてのこの動きは、まさに佐藤氏の真骨頂と言える。

その佐藤氏の座右の銘は、「順逆一如」。

順境に驕らず、逆境にたじろがず、どんな時でも不断の努力を続けるというものだ。新型コロナの逆風下においての大型アライアンス、不断のサービス提供などは、まさに佐藤氏のビジネスに対する姿勢を表している。

まさに「不断の努力の人」だと言えるだろう。佐藤氏に本書の序文を執筆してもらう際に、私はご両親の雑貨屋の話を入れてもらうように依頼した。どれほど親切なサービスを心掛けていても、規模が小さければ大きな組織に敗れてしまうという現実。そのときの経験と学びが、その後の佐藤氏の強い意志――不断の努力を培ったのだということを示したかった。佐藤氏も過去に、「(組織の)拡大志向は、学ぶか、体験するか、あるいは先天的に持っているか。いずれにせよ、そうした意志を持つに至ったきっかけがあるのだろうと思います」と話していた。

士業の経営者の多くは、規模が小さいことで事業が立ち行かなくなるとは考えていない。というよりも反対に、小規模である方が安全だと考えている。

士業とビジネス――。相反する事柄でありながら、不可分になっているテーマにおいて、そうした考えは危ういものになってはいないだろうか。

佐藤氏の実家の雑貨屋は、自宅兼店舗であり、従業員は家族だけ。だから「絶対に潰れるはずのないビジネスモデル」だったのだ。

現在は、コロナの影響によって様相が混沌としている。士業とビジネスと、アフターコロナ後の世界はどうなるのか？　私はそうした問いを持って、今は取材を行なっている。引き続き、発行する「FIVE STAR MAGAZINE」誌で、不断のテーマを追求していきたい。

二〇二〇年六月

榊原　陸

巻末付録

［士業専門誌「FIVE STAR MAGAZINE」で振り返る］

佐藤良雄、仕事の「定義」

士業専門誌「FIVE STAR MAGAZINE」に掲載されたSATOグループのインタビューと対談記事は第55号までで計20回に上る。士業ビジネスをさまざまな角度から切り取った含蓄のある言葉の数々は、強く記憶に刻まれている。巻末付録として、それらの言葉を一挙に紹介する。

●掲載履歴

【2012年9月号「所長の掟」】すべての仕事に理念、使命感がある

【2013年9月号　特集「This is my MANAGEMENT STYLE.」】「成長」こそが、経営
【2013年11月号　特集「士業 新時代の扉を開けるのは誰だ!?」】戦略スキームをシフトさせるという思考と、それを実践する力
【2015年1月号特集「営業スタイルの転換が、ビジネスモデルを革新する」】独創のアライアンス戦略
【2016年5月号　特別対談「FIVE STAR AWARD 2016」】2015-2016年に最も伸ばした事務所がやってきたこと
【2016年9月号】物販ビジネスへの新たな挑戦の手応えは？
【2017年5月号　同業者TOP対談 社労士編】フルサービスを、ベッタベタに
【2018年1月号】人材難を解決する、一手先の妙案
【2018年1月号　特集「RPA導入事例を徹底検証」】e-Gov申請後の状況照会から公文書のダウンロードまで自動化
【2018年7月号　特別対談「FIVE STAR AWARD 2018」】2017-2018年に最も伸ばした事務所がやってきたこと
【2018年7月号〜2020年1月号、全9回】a Corporate Giant ~企業化する士業と、勝者のメンタリティ~
【2019年5月号　対談】BPOは拡大する

●業務独占について

業務独占を前提にしてはいけない。将来における競争相手に勝てるだけの規模やサービスレベルを考えること。だから、競争相手は同じ士業ではない

【2012年9月号「所長の掟」】すべての仕事に理念、使命感がある

いつも10年後に士業の業務独占は廃止されるということを前提に、つまり、それまでの既得権益がなくなるときに勝ち抜ける組織・サービスレベル・業務の質を志向しています。

マネジメントの基本は、将来において、競争相手を定めてそこに勝てるだけの規模やサービスレベル・職員レベルを考えることです。

業務独占を前提に競争・努力をしている人と、違う競争相手を想定している人との違いが、そのまま考え方の違いになっています。業務独占による守られたマーケットを前提にしてはいけないということです。

競争相手は、同じ士業ではありません。そして自分の組織の現状の競争力を見ることです。基準なく努力はできません。

●経営とは

成長こそが「経営」。事務所の成長と職員の成長を、同時に高めていく

【2013年9月号　特集「This is my MANAGEMENT STYLE」】「成長」こそが、経営

たくさん切り口はありますけど、一言でいうと私の経営は「成長」です。成長することこそが「経営」です。

成長は2つの分野にわかれています。一つは「事務所の成長」、もう一つは「職員の成長」です。この2つの要件を、同時に満たしていくことが経営だと思います。

まず、事務所の成長というのは、大きく「質」と「量」に分かれます。「質」とは、もちろんサービスの質を高めていくことと、サービスの幅を広げていくということ。「量」とは、売上、拠点数、顧客数、職員数などですね。つまり、たくさんの人たちにいいサービスを提供することです。

職員の成長とは、まずは職員自身が、自分で成長を実感できることです。更に、他人――つまりクライアントや取引先、事務所内の人間がそれを認めるということ。この両方の評価が必要で、自己満足だけではだめだということです。これらを高めていくことが私にとっての経営ですね。

●顧客満足を高める

「うちは、この事務所に頼んでいるんだ」という誇りを、顧客が持てること

【2013年9月号　特集「This is my MANAGEMENT STYLE」】「成長」こそが、経営

士業事務所のクライアントは、「自分の顧問の先生」という表現が使えるわけです。その顧問がどこかということは、顧客の「自己満足」を満たします。そのために、我々がブランド化することが経営のファクターの中でも重要なことのひとつです。

私たち士業が売っているサービスは皆同じなんですよ。価格も、機能もそう変わらないと私は思います。その中で差別化要因になることの一つは、「うちはこの事務所に頼んでいるんだ」という誇りを顧客が持てるということです。

そこに頼んでいること自体が、「自分の地位を高める」もしくは「与信になる」というブランドを顧客の中に確立することですね。

●顧客満足とは

顧客満足というのは、私の言う「成長」の中のほんの一部

【2013年9月号　特集「This is my MANAGEMENT STYLE」】「成長」こそが、経営

実は、経営者の中には、経営は成長じゃないと定義している人がたくさんいるんです。特に士業はそうだと思います。定義として多いのは、例えば「顧客満足」などでしょうが、それはちょっと違うと思っています。顧客満足というのは私の言う「成長」の中のほんの一部です。

つまるところ、士業事務所のほとんどは、経営というファクターが欠落しているということです。そもそも士業界には経営というものが存在していませんでした。でも、それがもともと士業の特徴であり、経営しなくても成立することができたのです。だから、経営というものを真剣に考えていけば、士業事務所には、今後発展する方向性をたくさん見出せる〝余地〟があると思います。

●職員教育について

社員教育の第一は、社員の責任ではなくて、経営側の責任です

【2012年9月号「所長の掟」】すべての仕事に理念、使命感がある

私は月曜日から土曜日まで毎朝、社員向けにセミナーをしています。8時20分からの30分間です。毎日違うセクションに向けて行っていますので、職員は毎週受講することになります。

ほとんどの先生達は、自身の経営のこと、同業者、競争相手、あるいはマーケットのことなどを職員と話していないでしょう。ほとんどの事務所の社員は何も知らず、分かっているのは机の上の仕事のことだけという状態です。同業者が何をしているのか、異業種からどういう参入があるのか、そうした情報は共有する必要があります。

事象に対する考え方、経営に対する考え方、他社との比較、語るべきことは沢山あります。ところが士業の経営者は何も語っていません。ですから社員教育は、第一は社員の責任ではなくて、経営側の責任です。経営側の努力が必要です。

●研修について

実際に目で見て経験することが必要

【2012年9月号「所長の掟」】すべての仕事に理念、使命感がある

海外研修は「士業の業務独占が廃止されるということ」を体感・実感してもらうために必要不可欠です。つまり日本にしか社労士・行政書士制度はなく、世界はオープン競争ですから、そこではどんな人たちが、どんな競争をしていて、マーケットはどのようにセグメントされているのかを実際に目で見て経験する事が必要です。

これをしない限り、私がどんなに「競争相手は他の事務所じゃない。目指すレベルはここだ」と言っても理解できません。それは、日本の資格制度の中で育っているからです。それを理解してもらうためには、実際にそうなっていない国で、そうなっていない状態で競争している会社に話を聞くのが一番分かりやすいのです。研修先はほとんどがアジアで、香港や上海に毎年行きます。

●職員の質を上げるには

良い顧客と仕事をすること。だから、経営者のもっとも重要な仕事のひとつは、良い顧客を獲得すること

【2016年5月号　特別対談「FIVE STAR AWARD 2016」】
2015-2016年に最も伸ばした事務所がやってきたこと

私は、成長や拡大するための最大のポイントは営業力だと思います。職員の質を上げる方法は、良い顧客と仕事をすることです。だから、経営者のもっとも重要な仕事のひとつは、良い顧客を獲得することだと思います。

だから、営業が強くないと職員は育たないのです。職員は事務所が育てるのではなく、良い顧客に育てていただく。これが一番の方法だと思います。

良い顧客というのは、こちらにとって都合の良いお客様のことを言っているわけではありません。職員が育つのはサービスの要求が高いお客様です。また国民の誰もが評価しているような企業も、職員が誇りを持って仕事ができるので良い顧客と言うことができます。そういう案件を獲得しなければなりません。

●組織を作るポイント

多くの問題点を認識していること。問題を改善しようと、自ら心がける組織風土を作る

【2016年5月号　特別対談「FIVE STAR AWARD 2016」
2015-2016年に最も伸ばした事務所がやってきたこと

多くの問題点をきちんと認識している事務所が、良い事務所なのだと思います。

組織が大きくなればなるほど、経営者の見えない部分が増えてきて、問題が出てきます。でも、それこそが私たちのサービスの価値なのだと思います。問題を改善しようと自ら心がける組織風土を作っていかなければ、大きな組織は動かせません。それはやはり人間の組織だからです。

特に私たちは人材の力で大きくなるビジネスですので、事務所の使命や存在価値を理解していないと、ただの事務処理屋の立場に陥りがちです。そうなると、社員はあっという間にモチベーションや向上心を失って、改善すべき問題点がすべてマイナスに転化していく。どんなに営業が上手くても、これらの問題が解決していかないと、組織が崩れてしまいます。

問題を見つけると、多くの人は悲観的になります。そうならないチャレンジングな風土を作っていくことが、組織を作っていく上でのポイントになると思います。

●職員の育つ条件、良い人材が集まる要件

その事務所で、良い仕事ができるということが、何より職員の育つ、集まる条件になる

【2017年7月号「取材のキロク」】

我々士業はオールドエコノミーに属しています。採用では新しく、強い産業が現れれば、必ず押されることになる。だから私が行っていることは、そのときでも勝ち抜けるように、良いお客様を集めること。

その事務所で、良い仕事ができるということが、何より職員の育つ条件になります。また、良い人材が集まる要件にもなります。だから、我々経営者の第一の仕事は、良いお客様を獲得することだと思います。

●人材が長く働く事務所

仕事でできる経験よりも、事務所内での人間関係をどのように構築するか

【2018年7月号　特別対談「FIVE STAR AWARD 2018」】
2017-2018年に最も伸ばした事務所がやってきたこと

優秀な人材が長く働ける事務所でなければ、最終的に事務所の能力も上がっていきません。人材の安定性に対するお客様からの要求は強く、特にスポットではなく、継続的にご契約いただいているお客様はそう感じています。より長く同じスタッフが担当することで、お客様の会社のさまざまなことを知っているということが安心感に繋がり、それが仕事が継続していく保証になると思います。

質の高い経験を積むことができたり、5年の経験を1年で学べるような環境づくりも重要ですが、やはり、事務所内での人間関係をどのように構築するかが最重要になってくると思います。

●仕事好きな職員をつくる

お客様に褒められることと、お客様の数が増えていくこと。この2つを、職員に味わわせるプロセスを作り込む

【2017年5月号　同業者TOP対談 社労士編】フルサービスを、ベッタベタに

私たち社労士事務所の職員がこの仕事を好きになる最大の理由は、自分を信用してくれるお客様をたくさん創ることができることです。

私たちの事務所では、顧客獲得はほとんどが紹介です。紹介していただくまでのプロセスを作り込んでいます。サービスを提供してお客様に褒められることと、お客様の数が増えていくこと。この2つを職員に味わわせてあげる仕組みと風土が作れない限り、事務所は大きくなりません。

●セグメント戦略

やらない分野を決めること。ここしかないと思えば、職員も投資も経営もそこに集中できる

【2017年5月号　同業者TOP対談 社労士編】フルサービスを、ベッタベタに

（社労士は）多品種、多メニューであるがために、どれもモノになっていないじゃないかという指摘がありましたが、私の場合はマーケットをセグメントすることが得意で、セグメントして資源を集中する。もう少し分かりやすく言えば、やらない分野を決めることにマーケティングの特徴があると思っています。例えば（社労士の）1号業務も、中堅・大企業向けのサービスと中小零細向けのものに分けていて、それぞれグループ内の2つの社労士法人が専門に扱っています。

私にしてみればそれらのマーケットはまったく異なります。提供している商品は同じですが、お客様のニーズが違う。そう認識しているので、SATO社労士法人では、大企業向けには1号業務しか提供していません。それ以外はやらないと決めているのです。やらないことによって、自分たちの仕事は大企業向けの1号業務だと覚悟を決めているのです。あれもできる、これもできると言うから全部できなくなるのであって、ここしかないと思えば、職員も投資も経営もそこに集中できます。

ですから私の経営は、やらないことを決めるところから始まります。

●営業戦略、マーケティング戦略

営業とは、新しい顧客との接点をどのように構築していくか。マーケティングとは、どんな仕事をどんな風にするかの問題

【２０１２年９月号「所長の掟」】すべての仕事に理念、使命感がある

顧客のニーズがどこにあるのかをベースに、我々の仕事を定義していきます。営業とは、新しい顧客との接点をどのように構築していくかの問題です。マーケティングとは、どんな仕事をどんな風にするかの問題です。

10年前の東京進出時、ＳＡＴＯ社会保険労務士法人は、最後発でした。最後発の事務所がどんな市場を定義して、どんな営業の仕方をするのか。それは、しっかりと考えなければいけません。ほとんどの先生は、既存のマーケットである中小零細企業が顧客であり、これからのセールスポイントは3号業務（相談・コンサルティング業務）だとおっしゃいます。

それは正しいですが、それでは皆がやっているので、我々が行っても勝てないだろうと思います。だから違うことができないだろうかと考えました。考えることが重要です。それで大企業向けの1号業務というマーケットに特化するわけです。我々は、こうやってマーケットをセグメントして仕事を始めています。

●差別化戦略

自分たちの事業規模を大きくしていく使命感を、事務所内に持つこと

【2017年5月号　同業者TOP対談 社労士編】フルサービスを、ベッタベタに

差別化要素は、自分たちの事業規模を大きくしていこうということ。そうすればより良いサービスを提供できるようになる、という使命感を事務所内に持つことです。そこは手作りするしかありません。

商品はどの事務所も同じです。お客様が私たちに期待することも変わりません。唯一変えることができるのは自分たちの風土や経営方針、理念です。その点でしか我々は差別化できないと考えています。ですから中小零細企業向けのサービスにおいても、事務所の規模が大きいことは結局、商品開発力や人材力などすべての点で差別化になると思います。そのためにお客様を増やす努力は不可欠です。

●アライアンス戦略

顧客にとって、最適な組み合わせを考えること

【2015年1月号特集「営業スタイルの転換が、ビジネスモデルを革新する」】

独創のアライアンス戦略

ビジネスを成長させるために必要なのは、グループ内の連携ではなく、グループ外の企業とのアライアンスにあると考えています。そして、そのときに大事なことは、顧客にとって最適な組み合わせを考えることです。

例えば、自グループ内の会社であっても、それが組む相手として最適な存在だとは限りません。弊グループにはエコミックという給与計算の会社がありますが、ＳＡＴＯ社会保険労務士法人が組んでいる最大のパートナーは、エコミックの競合相手であるペイロール（東京都江東区）です。

多くの士業事務所では、アライアンスを組む相手は〝自分にとって〟最適な組み合わせになっているように思います。自分にとっての最適化を求めると、本業とは別の士業をグループに入れて、そのグループの中で業務を回すことで売上を増やそうというかたちになります。こうして多くの事務所が総合事務所化、ワンストップ化の方向に走っていますが、これはお客様にとっての最適化ではないと、私は思います。

普通の経営者であれば、同じグループのエコミックとだけ組んで、共同でセミナーをやって、一緒にお客様を開発するということをするでしょう。しかし、お客様にとっては私たち以外にも選択肢がたくさんあるのですから、それらを含めた最適の組み合わせの中で、サービスが提供されていくというのが目指すべき姿だと思います。

私は経験上、このやり方では上手くいかないとわかったので止めてしまいました。グループの中にぶらさがっているような組織には、競争力が付きません。グループ内で顧客を共有しないで、自力で営業できる商品と拡大できる社員、それとマーケティング手法を作っていくことが重要です。

もちろん、お客様の中には、全部一か所でやってもらえるワンストップ型のサービスが便利だと言う人もたくさんいます。ですから、それはそれで正解だと思います。ただ、私たちは、それがお客様にとっての最適化ではないと思っています。必ずしも私のやり方が正しいと言っているわけではありません。サービスを提供する方法として、選択肢がたくさんある中で、私はこういうやり方を選んでやっているというだけのことです。どちらを選んでもいいと思います。

ただ大事なのは、進む道を決めたらそれをやり切ることだと思います。

●価格戦略

コストは、最重要の顧客サービスのひとつ

【2017年5月号　同業者TOP対談 社労士編】フルサービスを、ベッタベタに

コストが安いのは、最重要の顧客サービスのひとつです。しかしこの士業では、それは禁句ですね。しかし私はそこに挑戦していきます。

●仕事の成功とは

仕事を通じて、顧客との信頼関係を確立すること。判断基準は、顧客が新しい顧客を紹介してくれたかどうか

【2012年9月号「所長の掟」】すべての仕事に理念、使命感がある

私どもの経営理念は「信頼のお付き合いをモットーに社会のブレーンたらん」です。信頼の話をするときに、前提には、商品や価格で差別化できないということがあります。そして、営業の本質は信頼であり、信頼の基準は顧客の紹介で量ることができます。

大事なのは、私どもの仕事の目的は、依頼された業務を完成することではないということです。その仕事を通じて顧客との信頼関係を確立することです。その判断基準が、顧客が新しい顧客を紹介してくれたかどうかです。仕事の完成ではなく、仕事を通じて、信頼関係を確立する事が目的です。仕事は手段にすぎないのです。

仕事の成功とは、ひとりの顧客から複数の顧客を紹介していただくことなのです。顧客満足をきちんと勝ち得たかどうか、士業の成功はこれだけだと思います。

●信頼の獲得

顧客が事務所に頼んでいる範囲において、自分が心配する必要はないと思えること

【2017年5月号　同業者TOP対談 社労士編】フルサービスを、ベッタベタに

私たちは信頼こそが商品です。専門分野における信頼。事業主がSATOグループに頼んでいる範囲はここで、その範囲は自分が言わなくても行っている、もしくは必要なことは言ってくる、新しい事案は提案してくる。だから自分が心配する必要はないという信頼作りだと思います。

お客様の信頼を獲得するために必要なことは、お客様を想う心。この仕事を誠心誠意行っているだけでは、その心は養われないと思います。お客様にその気持ちが届いて、困ったときに私を助けてくれる、と思っていただけるだけでいい。そうした気持ちをお客様に届けることのできる事務所が、このマーケットで勝ち抜くことができるのだと思います。

●信頼を得られる人材

人間的な側面が第一。専門的知識は最後でいい

【2017年5月号　同業者TOP対談 社労士編】フルサービスを、ベッタベタに

お客様から信頼を得られる人材は決まっていて、紹介を増やすことができるのは、専門的な技術や知識が一番ではなく、人間的な側面が第一。専門的知識は最後でいい。

●営業活動とは

顧客から見て仕事を頼みやすいか、人を紹介したくなるような魅力を持っているかという視点で、自らの行動を意義付けること

【2012年9月号「所長の掟」】すべての仕事に理念、使命感がある

私どもの商品や価格は差別化できません。であれば、あとは能力の差だけになります。顧客から見て仕事を頼みやすいか、人を紹介したくなるような魅力を持っているかという視点で自分の行動を意義付ける。これを私は「営業」と呼んでいます。

私は、差別化要因は営業だけだという話をよくしています。「営業」とは、DM、テレアポ、セミナーなどをすることではなく、自らはもちろん、従業員一人ひとりが顧客のニーズに応えるだけの行動や発言をしているかということです。

●コミュニケーション力

自ら情報を発信をして、相手のニーズを引き出す仕組みを持っているかどうか

【2015年1月号特集「営業スタイルの転換が、ビジネスモデルを革新する」】

独創のアライアンス戦略

多くの人はコミュニケーションと言うと、「昨日のジャイアンツは強かったね」というような話をしています。そういう人には、残念ながら一生かかってもビジネスチャンスは生まれません。なぜなら、情報発信をしていないからです。

コミュニケーションをとるのは目的を達成するための手段に過ぎないのに、多くの人はそれを目的としてしまいます。コミュニケーションの中に、相手のニーズを引き出す仕組みを持っているかどうかを『コミュニケーション力』と言うんです。

●ロールモデル、学ぶということ

資格は生活を担保してくれるわけでもなく、自分の未来を安泰にしてくれるわけでもない。この仕事に真剣に取り組むための、基準を学ぶといい

【2012年9月号「所長の掟」】すべての仕事に理念、使命感がある

この仕事に真剣に取り組むための、基準を学ぶといいですね。自分はどのくらい努力をしなければならないのか。資格は生活を担保してくれるわけでもなく、自分の未来を安泰にしてくれるわけでもありません。所詮は自分の努力次第です。自分の仕事と自分自身をもっと真剣に考えるべきだと思います。

基準になりそうな人を探して会うこと、会って話しをしてロールモデル化することだと思います。私も今までそうやってきました。

学ぶという事は、自分で考えて試行錯誤するよりもずっと効率がいい作業でしょう。だけど先生たちは、教えることは好きなのですが、学ぶことは嫌いなようです。

ロールモデルに追い付くには努力しかありません。顧客に喜ばれるサービスをして、顧客の役に立ちたいと思ったら、自分たちの努力が必要です。

●自己コントロール①

自分の行動を洗い直せば、そこにすべての原因がある

【2012年9月号「所長の掟」】すべての仕事に理念、使命感がある

この仕事は、事業規模が小さい時は、先生の能力だけで成長するか否かが決まります。売上が伸びている、お客様の数がどんどん増えているという状況でないのなら、自分の行動を洗い直せばほとんどそこにすべての原因があると思います。

ですから自分自身をどう規律するかが、自分の事務所の成長の決め手です。自分がどうなりたいか、どうあるべきかといった事を決めることが重要で、それを私は「自己コントロール」と呼んでいます。

●自己コントロール②

自分が働かない限り、生産性は上がらないということを強く認識すること。最も重要な「時間」を、自分のものにすること

【2012年9月号「所長の掟」】すべての仕事に理念、使命感がある

我々はたった365日しか時間がなくて、その時間の中でしか生産性を上げることができない仕事をしています。

寝ていても金利が稼いでくれることはないですし、家で休んでいても工場が物を作っているということもありません。自分が働かない限り、生産性は上がらないということを強く認識することです。

ですから、コントロールすることで最も重要なのは時間です。「(人に)誘われない」と決めたのは、その時々で自分にとっての最優先の時間の使い方ができなくなるからです。

今、最も重要な時間の使い方は、誰といることなのか、何をすることなのか、それを自分のものにすることです。例えば、自分のスケジュール表を見直してみるといいでしょう。自分が主体的に決めている時間がどれくらいあるのか。あなたの人生はその時間でしかありません。あとはすべて他人にコントロールされている時間です。

●自己コントロール③

基準を自分の中に作らなければ、努力はできない

【2012年9月号「所長の掟」】すべての仕事に理念、使命感がある

もうひとつコントロールするべきは、感情です。

一つは、目標となる人を決めることです。

今日の努力でその人たちにどれだけ追い付けるのか、という基準を自分の中に作らないと、人間は努力できないものなのです。

もうひとつ、感情という面では、私はトイレに入る時に必ず一番奥の個室で用を足すことにしています。そのときにすることは反省です。ですから、1日4、5回はトイレに行くので、その度ごとに反省する機会を持つことになります。今言ったことや自分が取った態度が正しいことだったのか、無駄な時間を過ごしていないかなど、反省することはたくさんあります。

ほかにも決めることはたくさんあって、ゴルフは日曜日しかしないとか、社長としか会わないなどがあります。そうやってコントロールしないと、職員が社長のことを理解できなくなります。

ここでの基準は、社員に「うちの社長はこういう人だ」と分かってもらうことです。そのために、自分に対する決めごとを作っていく必要があります。やはりトップは分かりやすいということが必要だと思います。どんな時に褒められて、どんな時に怒られて、社長の行動パターンも分かるということが組織にとって必要です。

●同業者との交流

士業界全体の質が上がっていかなければ、自分達の仕事の質も上がっていかない

【2013年9月号　特集「This is my MANAGEMENT STYLE」】「成長」こそが、経営

例えば、他の事務所が関わっているお客様に対して、価格とか利便性で差をつけて提示するというようなことは一切しませんでした。恨みを買いながら事務所が大きくなっても意味がありませんからね。それも経営のうちですよ。

同業の事務所の先生方を呼んで、昼食会などを頻繁に行っています。自分自身も勉強になるし、皆さんにとっても参考になるように私も情報を発信するようにしています。同業者だから情報交換をしないという方もいますけれど、私はどこへいっても皆さんの事務所を訪問し、情報交換をし、お互いの事務所がよくなるように頑張ろうとしています。同じ士業界で士業界全体の質が上がっていかないと、自分達の仕事の質も上がっていきません。同業の人たちの情報交換やコミュニケーションは、私の経営スタイルの一部として欠かせません。勉強会にもよく顔を出すので、「なんで佐藤さんがこんなところにくるんですか?」と驚かれることも多いのですが（笑）。

●アウトソーシング・ニーズについて

世の中はより複雑になり、私たちには、より高度で複雑な能力が求められるようになってくる

【2019年5月号　対談】ＢＰＯは拡大する

これからＡＩ化やＲＰＡ化は進みますが、人間が判断したり処理しなければならないことは、それに付随して複雑化し、その範囲も拡大していくと考えています。

世の中はより複雑になり、考える、仕組みを作る、アドバイスをする、そうした専門家へのニーズは増えていきます。ＡＩやＲＰＡがどれだけ発達しても作業がなくなるだけで、私たちにはより高度で複雑な能力が求められるようになってくると思います。

ですから、我々士業は知識やスキル面でのシフトにさえ失敗しなければ、仕事が増えることはあっても、減ることはないと考えています。ＢＰＯ業務はより複雑化し、増えていきます。

●AIとIT化について

マーケットが望んでいるもの、法律の変化と環境の変化。そうしたことさえウォッチしていれば、私たちの業務量が減ることはない

【2018年7月号　特別対談「FIVE STAR AWARD 2018」】
2017-2018年に最も伸ばした事務所がやってきたこと

自分たちのいるマーケットの将来について、どのように考え　マーケットが望んでいるものは何か、法律の変化と環境の変化によってどのようにサービスを変化させていくべきか。そうしたことさえウォッチしていれば、ＡＩなどは使いこなせばいいだけだと思います。

ＡＩやＩＴ化と言っても制度設計はますます複雑になっていきますし、環境やニーズも変化していくので、私たちの業務量が減ることはありません。しかし、事務所の組織が小さければできることは限られてしまいます。新しい分野に出ていくための人材や投資などを考えれば、組織を大きくしていくべきだと思います。

●原理原則

「いいものを、より安く提供していく」。士業界ではタブーとされていますが、私は、経営の基本原則を言っているだけなんです

【2013年9月号　特集「This is my MANAGEMENT STYLE」】「成長」こそが、経営

私は経営の基本原則を言っているだけなんですよ。そもそも経営の基本戦略それ自体が、規模を拡大し、マーケットシェアを増やして、いいものをより安く提供していくということです。

ところが、士業界は長くそれを許さなかったんですよ。そういう業界であるが故に、そういう考えが不要になってしまっていたんですね。しかし10年前から急速に環境が変わりました。経営は「環境適応業」であるというように、新しい環境にどんどん適応していく必要があります。環境が変わったのに昔の理論でビジネスをやっているなんて、おかしいではないですか。士業であっても、中小企業でも、経営者はきちんとそれを取り入れなければならないと思います。

注

事務所名等の表記は、すべて誌面掲載当時のものです

1章1節

注1 **【2012年5月号　特集「有名拡大事務所の増やし方」】**
年間500件のモンスター事務所の進む「王道」　ベンチャーサポート税理士法人　中村真一郎氏

2節

注2 **【2012年5月号　特集「有名拡大事務所の増やし方」】**
弁護士業界の若きメディア王が狙う2つの頂点　法律事務所オーセンス　元榮太一郎氏

注3 **【参考図書】** 中田信哉『小売業態の誕生と革新―その進化を考える―』白桃書房
田村正紀『業態の盛衰―現代流通の激流―』千倉書房

2章1節

注4 **【2020年1月号　特集「「人を動かす」事務所づくりの実践」】**
「士業」と「経営機能」を分離させる新基軸の試み　セブンセンスグループ　小長谷康氏、徐瑛義氏

注5 **【2020年3月号　特集「高収益事務所の創り方」】**
地域密着、高収益事務所のモデルタイプ。総勢600名、名南経営グループの「原点」と「因果律」
税理士法人名南経営／名南コンサルティングネットワーク　安藤教嗣氏

3節

注6 **【2016年1月号　SPECIAL REPORT】**
会計ソフトで上場を果たした会計人の、士業と経営者の境界線
株式会社オービクビジネスコンサルタント　和田成史氏

注7 **【2017年11月号　SPECIAL INTERVIEW】**
4年で経常利益率が倍増中！　一人ひとり、一件一件を見つめることで、高まった収益性
税理士法人SBCパートナーズ　柴田昇氏

3章2節

注8 【2012年7月号 「所長の掟」】
すべてはビジョンから。朝礼や挨拶だけで、事務所は成長しませんよ　税理士法人古田土会計　古田土満氏

注9 【2019年9月号 パネルディスカッション】
人材の多様性と士業ネットワークで、法人を強化する　行政書士法人きずなグループ森本楽氏

注10 【2015年7月号 特集「地域一番事務所の「条件」」】
地域一番事務所の扉を開けた、オープンブック　弁護士法人新潟第一法律事務所　和田光弘氏

注11 【2015年1月号 「所長の掟」】
成功するまで徹底的にやる　虎ノ門法律経済事務所 千賀修一氏

4章1節

注12 【2015年5月号 連載「実録！ 100人事務所への道」】
集客する器としての「MALL」　ベストファームグループ　斉藤浩一氏

注13 【2014年9月号 「士業 新時代の扉を開けるのは誰だ!?」】
everything for one thing すべては登記のために。　司法書士法人オフィスワングループ　島田雄左氏

注14 【2015年11月号 特集「B to Bヲ攻略セヨ」】
営業活動「量」を増やす　フクダリーガルコントラクツ&サービシス司法書士法人　福田龍介氏

3節

注15 【2013年1月号 特集「強い組織、その「正体」」】
作ったのはコンサルティングファーム　トリプルグッド税理士法人　実島誠氏

注16 【2017年1月号 特集「AI・クラウド特集 変化を待つか、変化を起こすか」】
「クラウドの時代」こそ、地域シェア拡大のチャンスだ　税理士法人アクシス 川人洋一氏

注17 【2016年7月号 特集「士業事務所の組織の壁の突破法」】
100名体制となったTMCグループ。そこに壁はあったのか!?社会保険労務士法人TMC　岡部正治氏

5章2節

注18 【2016年3月号 TRENDS REPORT】
税理士10名超で船出！ 税理士事務所を設立した、森・濱田松本法律事務所の「本気モード」
MHM税理士事務所　大石篤史氏、酒井真氏

佐藤良雄

SATOグループ代表。2004年、行政書士事務所と社労士事務所を法人化。現在、SATO社会保険労務士法人は全国一位、SATO行政書士法人は全国三位の規模に成長している。ほかにも人材派遣のキャリアバンク、給与計算のエコミックを上場させるなど、グループ内で10の法人を運営している。顧問先企業は小零細企業で5000社、大企業で500社。グループ従業員数は1446名

著者・榊原陸

士業専門誌『FIVE STAR MAGAZINE』編集長。LIFE&MAGAZINE株式会社・代表取締役。株式会社アックスコンサルティングでの勤務時代より、税理士向けの業界誌の発刊を通し、士業界に携わる。その後、2013年にライフアンドマガジンを設立し、2012年から創刊している税理士、弁護士、司法書士、社労士、行政書士向けの事務所経営の専門誌『FIVE STAR MAGAZINE』の発行人・編集長を務める。企画、取材を通し、ネットワークを広め、深く業界事情に精通し、業界の評価を集めている

企業化する士業と、勝者のメンタリティ

2020年7月15日 初版第一刷発行

著　　者　榊原　陸
発 行 者　榊原　陸
発 行 所　金融ブックス株式会社
http//www.kinyubooks.co.jp
〒101-0021　東京都千代田区外神田6-16-1-502
TEL03-5807-8771（代表）
FAX03-5807-3555
編集協力　三坂輝プロダクション
デザイン　三橋　美由記（LIFE&MAGAZINE）
印刷・製本　新灯印刷株式会社

ISBN978-4-904192-87-0 C0034